Odorama
de Geneviève Jannelle
est le neuf cent quatre-vingt-troisième ouvrage
publié chez
VLB ÉDITEUR.

D1584700

VLB ÉDITEUR
Groupe Ville-Marie Littérature inc.
Une société de Québecor Média
1010, rue de La Gauchetière Est
Montréal (Québec) H2L 2N5
Tél. : 514 523-1182
Téléc. : 514 282-7530
Courriel : vml@groupevml.com

Vice-président à l'édition : Martin Balthazar

Éditeur : Stéphane Berthomet
Direction littéraire : Martin Bélanger
Design de la couverture : Julien Del Busso
Photo de l'auteure : Mathieu Rivard

Catalogage avant publication de Bibliothèque et Archives
nationales du Québec et Bibliothèque et Archives Canada
Jannelle, Geneviève, 1981-
    Odorama
    (L'orphéon)
    ISBN 978-2-89649-417-0
    I. Titre.
PS8619.A677O36 2012   C843'.6   C2012-941916-8
PS9619.A677O36 2012

Distributeur :
LES MESSAGERIES ADP*
2315, rue de la Province
Longueuil (Québec) J4G 1G4
Tél. : 450 640-1234
Téléc. : 450 674-6237
*filiale du Groupe Sogides inc.,
  filiale de Québecor Média inc.

Pour en savoir davantage sur nos publications, visitez notre site : editionsvlb.com
Autres sites à visiter : editionshexagone.com · editionstypo.com

Dépôt légal : 4ᵉ trimestre 2012
Bibliothèque et Archives nationales du Québec, 2012
Bibliothèque et Archives Canada
© VLB éditeur, 2012
Tous droits réservés pour tous pays
ISBN 978-2-89649-417-0

VLB éditeur bénéficie du soutien de la Société de développement des entreprises culturelles du
Québec (SODEC) pour son programme d'édition.
Gouvernement du Québec – Programme de crédit d'impôt pour l'édition de livres – Gestion SODEC.
Nous reconnaissons l'aide financière du gouvernement du Canada par l'entremise du Fonds du livre
du Canada pour nos activités d'édition.
Nous remercions le Conseil des Arts du Canada de l'aide accordée à notre programme de
publication.

ODORAMA

De la même auteure

La juche, Montréal, Éditions Marchand de feuilles, 2011.

Dans la même série

Roxanne Bouchard, *Crématorium Circus*.
Stéphane Dompierre, *Corax*.
Véronique Marcotte, *Coïts* (à paraître en janvier 2013).
Patrick Senécal, *Quinze minutes* (à paraître en janvier 2013).

Geneviève Jannelle

L'ORPHÉON

ODORAMA

vlb éditeur
Une société de Québecor Média

Prologue

De ses deux petites mains joufflues, il étalait une purée jaunâtre sur la tablette de sa chaise haute, faisait naître des paysages grumeleux à pleins doigts, d'ocre dunes de patate douce. Sa mère était belle ; elle riait. Être maman à temps plein, ne sortir que rarement de la maison, n'avoir qu'un bambin comme spectateur : rien de tout cela ne constituait à ses yeux un motif valable pour s'oublier comme femme. Même si M. le curé lui avait farci les oreilles, chaque dimanche de son enfance, avec le péché d'orgueil, elle, libre penseuse, redoutait maintenant davantage de pécher un jour par manque de coquetterie. Il ne fallait pas se relâcher une seule seconde. Trop facile de se vêtir mollement, d'escamoter le maquillage, d'étirer le bras vers le frigo pour manger n'importe quoi. Chaque matin, elle se levait aux aurores et extirpait un Laurent déjà gazouillant de son petit lit à barreaux. Elle le déposait par terre, sur le carrelage de la salle de bain, avec quelques jouets, et se faisait belle, tandis qu'il manipulait ses blocs de bois et bavait sur son petit train. Elle se devait de présenter un visage frais, une coiffure soignée et des vêtements impeccables à son mari lorsqu'il quitterait la chaleur du lit, une heure plus tard. Oh non, elle ne ferait pas partie de ces trop nombreuses épouses troquées contre une maîtresse de temps à autre, toutes ces femmes châtiées pour avoir vieilli et fané trop vite après l'accouchement, pour avoir excrété ce qu'il leur restait de vert et de tendre en même temps qu'une ribambelle de marmots. Elle enfilait devant Laurent gaine, porte-jarretelles et bas couture ; jupe et chemisier. Elle se faisait femme du monde pour son homme, à grands traits de khôl et couches de Rimmel, pour lui qui partait vers ce « monde » chaque jour, qui voyait des gens, faisait des choses. Il lui fallait maintenir l'illusion, réussir à faire oublier qu'elle frottait des couches de tissu à longueur de journée, ses belles mains plongées dans les excréments, les régurgitations, les restes de nourriture préalablement mâchée ; occulter le fait que se piquer un doigt avec l'une des grosses épingles de nourrice constituait une péripétie majeure dans son quotidien, presque une sensation forte ; embellir un peu la réalité de ses interactions sociales qui, en fait, se limitaient à Laurent, au laitier, au facteur et, parfois, avec un peu de chance, à un vendeur d'aspirateurs itinérant.

C'était la fin des années soixante-dix, elle était belle et il n'y avait que Laurent pour le voir. Alors, elle parlait sans discontinuer, décrivait au bambin chaque geste qu'elle posait, lui exposait ses réflexions ; elle soliloquait, vite et sans prendre de pause, comme pour contrecarrer sa pensée, la rendre décente dans le déferlement des mots. Remplir le silence.

— Allez, allez, tu en mets partout sauf dans ta bouche mon pauvre chéri. Maman va te montrer.

Elle enfilait un tablier, son armure contre les projectiles et les éclaboussures, tirait une chaise de bois devant son fils et s'emparait de la cuillère. Laurent gazouillait alors de satisfaction, comprenant que son tripotage alimentaire avait fait mouche. Sa maman, si belle, ramassait une pleine cuillerée de purée et annonçait, solennelle :

— Bienvenue chez Eaton, cher monsieur, le plus réputé des grands magasins. Où désirez-vous aller ? Que souhaitez-vous acheter ? Peut-être serez-vous tenté par le cinquième étage, celui des chapeaux ?

Elle portait alors la cuillère au front du bambin et celui-ci riait, faisait « non » de la tête, « pas sssâpo ». Elle descendait donc, ascenseur de purée, jusqu'à hauteur de ses yeux.

— La lunetterie, peut-être ? C'est au quatrième étage. Si vous avez eu de la difficulté à reconnaître votre femme récemment, c'est sans doute la destination qu'il vous faut...

Elle agitait rapidement la cuillère de gauche à droite, pour lui montrer qu'en effet, il y voyait un peu flou après tout. Lui fermait les yeux très, très fort, puis les ouvrait grand, d'un coup, en criant : « Ze vwa ! » Résolue, elle poursuivait sa descente.

— Très bien, très bien, ne vous emportez pas. Il y a de tout pour tout le monde ici, nous trouverons bien ce qu'il vous faut. Haha ! Le troisième étage ? L'étage des parfums...

Elle écartait la cuillerée un instant, présentant son poignet, délicatement parfumé.

— Sentez ! Humez ces effluves floraux, ces odeurs d'épices et de fruits que porteront les belles dames et les bons messieurs. Vous avez bien une fiancée à qui offrir un parfum, n'est-ce pas ? Aujourd'hui, en démonstration, nous en avons un rapporté de loin, sentez...

Et c'était là le moment favori du jeune Laurent. Elle sortait, comme par magie, un objet de la poche de son tablier et le lui brandissait sous le nez. Sa main gauche s'ouvrait sur une pelure d'orange, un bâton de cannelle, une boule de pâte d'amande, une gousse d'ail, une fiole d'essence de vanille, selon les jours, selon l'humeur. Et lui donnait son appréciation, battait des mains ou plissait du nez, enchanté, dégoûté. Elle poursuivait alors, filait en droite ligne vers son cou.

— Je vois que monsieur est un connaisseur... Oh ! J'ai trop parlé, nous avons dépassé le second étage. Je suis si distraite. Nous voilà au premier niveau, celui des foulards et des colliers, mais je me doute qu'après un tel achat au rayon des parfums, votre dame est déjà comblée. Allons ! Remontons ! Je suis certaine qu'un petit arrêt au restaurant vous fera le plus grand bien...

Sa main repartait vers le haut et stoppait, avec un léger rebond digne d'un véritable ascenseur, devant ses lèvres. Il ouvrait, aspirait, se régalait. Sauf les jours de brocoli.

Seule, sans amie ni voisine proche, sans divertissement ni valorisation, sa mère employait toute sa créativité et son énergie à faire de sa vie à lui un spectacle. Pour combler le vide, pour tenir la folie à distance, pour ne pas s'attarder à son ventre stérile, qui ne se remplirait plus, dont Laurent était sorti en brisant à la fois le moule et le four. Étage 5 : les chapeaux. Étage 4 : la lunetterie. Étage 3 : les parfums. Étage 2 : le restaurant. L'étage 1 variait à l'envi, allait parfois jusqu'à se faire magasin de chaussures, tandis qu'elle lui chatouillait les orteils.

Ces jours de purée jaune, pourtant ludiques, déteindraient sur l'avenir du jeune Laurent Piffeteau. Quelques décennies plus tard, après de brillantes études, il décrocherait son premier emploi, au troisième étage d'un immeuble appelé l'Orphéon. « Le département des parfums » ne serait alors plus un jeu, ni un conte, mais son gagne-pain. Chaque jour, il travaillerait à y faire naître des odeurs, à les faire miraculeusement surgir de ses éprouvettes comme sa mère les tirait autrefois de son tablier. Que les Laboratoires Odosenss siègent justement au troisième étage de l'immeuble, Laurent le verrait comme un signe que lui seul pouvait comprendre, un clin d'œil de cette mère qui lui avait tout donné, qui n'avait plus su remplir le vide une fois son fils entré à la petite école, qui avait d'abord perdu l'envie d'être belle, puis l'envie d'être, tout court.

Laissant derrière elle un Nez.

1

Laurent Piffeteau fit son entrée dans l'Orphéon en traînant les pieds : deux boulets gainés de cuir fin. Ses chaussures italiennes léchaient le sol et réussissaient à y trouver d'invisibles obstacles, à y adhérer malgré la surface de marbre aussi lisse qu'impeccable. De très belles chaussures qu'il portait là, avec leurs bouts légèrement pointus et incurvés ; esthétiques mais parfaitement inappropriées, si l'on considérait la selle de vélo ballant dans la main de leur propriétaire. Malgré l'état second dans lequel il avançait, il avait gardé ce réflexe de cycliste : retirer la selle du cadre et partir avec pour éviter qu'on ne la vole. Rolland, le gardien de sécurité, le regarda s'avancer. *Y'a pas fait du bécique chaussé d'même, toujours ?* Outre la selle, les multiples marques noirâtres et huileuses au bas du pantalon laissaient croire que oui. Les réflexes y étaient, mais les précautions d'usage du cycliste urbain n'avaient pas été prises ce matin-là.

Sous des allures de clochard, Laurent portait pourtant les mêmes vêtements qu'à son habitude : des pièces élégantes, griffées, dans la tendance du moment. Cependant, on les aurait dites superposées sur son corps dans l'anarchie la plus totale par une fillette de quatre ans jouant à la poupée. Trop de couches, trop de styles discordants. La chemise était boutonnée en jaloux sous un cardigan trop épais pour la saison ; le pantalon, mal ajusté, froissé, tombait de façon clownesque et même un observateur pas si observateur ou quasi daltonien aurait su faire la différence entre l'ocre mat de la chaussure droite et le taupe lustré de la gauche. C'était n'importe quoi.

Le ton conspirateur, l'œil luisant, se sentant revivre d'être enfin alimentées, les commères de son bureau s'en donneraient à langue joie :

— Moi, je l'ai vu tout de suite que quelque chose tournait pas rond. Y'était habillé tout croche. Y marchait pis son pantalon pendouillait de la fourche. Tsé, le cul qui *puff*, comme on dit. Pas normal pour Laurent, ça. Notre petit parfait national, y'avait la perfection maganée...

De quoi alimenter le périmètre de la machine à café en ragots pour une période respectable. Même Rolland, dont l'expression réussissait habituellement à demeurer aussi lisse que le plancher devant les excentricités des occupants de l'immeuble, leva un sourcil touffu en l'apercevant. Sa moustache tressaillit, son sourire se fit hésitant, tandis que son front dessinait des accents circonflexes.

Laurent finit par atteindre l'ascenseur, y monta avec quelques personnes, sans les remarquer. Il s'y était rendu directement, en automate : six pas, virage en U à droite, sans un coup d'œil pour le Café Clochette, sur sa gauche, où il s'arrêtait pourtant chaque matin depuis toutes ces années. Son mètre quatre-vingt-huit recroquevillé, il fixait d'un regard vide ses souliers dépareillés. Les portes s'ouvraient et se refermaient compulsivement, déversant des connaissances pour l'heure anonymes sur chacun des étages. Au troisième, ses boulets se remirent en mouvement et, vaincu, il s'avança, se laissant transpercer par la blancheur lumineuse des Laboratoires Odosenss, comme d'autres entrent au paradis, souhaitant en son for intérieur être ces autres.

— Salut, Laurent.

Lisabeth ne fut pas saluée en retour, malgré le roulement de hanches et la moue qu'elle avait adjoints aux mots, par réflexe : une réaction pavlovienne à la présence de Laurent. Celui-ci demeurait pour sa jeune et jolie collègue, chimiste elle aussi, l'un des grands défis à relever dans cette entreprise. De toute évidence, il lui faudrait s'y atteler un autre jour.

S'agrippant à sa selle de vélo comme si sa vie en dépendait, il peina à ajouter son sarrau aux couches déjà trop nombreuses de vêtements empilées sur ses épaules ; encore plus à attacher celui-ci, malgré les pratiques boutons-pressions. C'est en usant le sol qu'il se dirigea ensuite vers le labo n° 3, lieu de travail qu'il partageait avec son collègue et coéquipier Thibert.

— Salut, Pif. Ouhhh, t'as une sale tronche... Ça va, mec ?

La réponse vint sous la forme d'un long jet brunâtre, chaud et acide qui atterrit sur les Converse All Star blancs de Thibert. En bon Français, celui-ci, une sucette déformant sa joue, lâcha un « Putain ! » bien senti, peu flatteur pour les professionnelles du plus vieux métier du monde, qu'il semblait pourtant ne pas mépriser dans ses temps libres. Sous le regard dégoûté de Thibert, Laurent restituait on ne sait quoi, vomissait, sans avoir déjeuné, vomissait un peu son cœur, sans doute.

Le matin même, Sofia était partie, l'avait jeté, avait eu envie d'aller voir si certaines portes ne pourraient pas s'ouvrir sur autre chose, si elle les poussait seule. Sa belle, son amoureuse depuis la quatrième secondaire, la seule femme qui pouvait faire tourner en gélatine les rotules des hommes rien qu'en déambulant devant leurs yeux, sa moitié, ne voulait plus de lui. Comment une moitié pouvait-elle se sentir assez entière pour se départir volontairement du reste de sa totalité ? Il se posait la question comme un problème scientifique à résoudre, pour oublier qu'il manquait d'air. Peut-être n'avait-il été que dix pour cent de l'ensemble sans le savoir. Peut-être n'avait-il jamais été une moitié, juste une part négligeable. Une part jetable.

— Ouache. Merde, Pif ! Du coup, moi j'vais avoir ton odeur de dégueulis toute la journée dans le nez. Comment tu veux qu'je bosse après ça ? J'pourrai jamais finir mon odeur de tarte à temps !

— Désolé, Thibert...

Les Laboratoires Odosenss œuvraient dans la création d'odeurs en tous genres. « Marketing par l'odorat », proclamait l'affiche à l'entrée. Une production qui n'avait rien à voir avec la parfumerie classique, ces douces fragrances embouteillées dans de jolies fioles design et portées à même la peau. Les réalisations d'Odosenss ne se retrouvaient pas à La Baie. Ici, on se spécialisait dans la fabrication d'odeurs du quotidien, agréables ou pas, dont la reproduction et la diffusion conditionnaient un comportement réactionnel chez le consommateur. À titre d'exemple, le produit Pain Désirable, numéro de code PD12703, demeurerait un succès marquant dans les annales de l'entreprise. Il s'agissait d'une délicieuse odeur de pain beurré, chaud et croustillant. Les épiceries et boulangeries de la province se l'étaient arrachée. Et ça faisait vendre du pain comme si Dieu avait chié les baguettes en personne le matin même. La petite dame entrait au marché en poussant son panier et était tout de suite prise en otage par un nuage olfactif qui stimulait ses glandes salivaires et certaines zones précises de son cerveau. D'une région profondément enfouie ressurgissait ce souvenir d'enfance, quand elle accompagnait maman chez le boulanger et qu'une fournée venait tout juste de sortir, pour le plus grand plaisir de son nez de gamine affamée. La dame se jetait sur les sacs et achetait, sans tâter, des pains rarement cuits le jour même et encore moins souvent sur place.

Mais l'expérience la rendait heureuse ; elle n'y voyait que du feu. Marketing par l'odorat.

Laurent travaillait chez Odosenss comme chimiste expert en olfactométrie depuis des années. Surdoué et étonnamment sérieux pour son âge, il avait obtenu un stage dans l'entreprise pendant ses études et en avait profité pour pondre une pure merveille : une odeur de pizza viandeuse à convertir un végétalien. Ça avait été un succès commercial formidable et une offre d'embauche instantanée pour lui. Une petite pizzeria installée près des guichets, au métro Berri-UQAM, à Montréal, faisait d'ailleurs des affaires en or depuis.

— Je t'aiderai pour ta tarte. T'inquiète.

— T'es tout vert, mec. Ça va pas ?

— Elle m'a quitté, Thibert.

— Quoi ? Qui ? Sofia ? Sofia t'a largué ?

Thibert écarquilla les yeux, figé, tandis que Laurent, agenouillé devant lui, tentait d'essuyer ses vomissures sur le tissu pâle des Converse, imbibé. Tous deux avaient fait leurs études ensemble ; leur amitié avait plus de dix ans d'âge. En fait, Thibert n'avait jamais connu Laurent sans Sofia.

— Vous vous êtes engueulés ? Elle t'a dit pourquoi ?

— Pas vraiment, non.

— Tu veux pas prendre ta journée ?

Il croqua le suçon, d'un coup ; produisant un bruit épouvantable de dents brisées qui fit frissonner l'autre.

— Pour faire quoi ?

— J'sais pas moi, va au cinoche, au musée, au spa, va te changer la tête !

Pour toute réponse, Laurent s'empara d'un flacon de solvant et lui demanda, la voix éteinte :

— À quoi, ta tarte ?

— Citron.

L'amour de sa vie, future mère de ses enfants, venait de décider que son existence serait plus intéressante sans lui et, dans cet effondrement de son univers, cette vie qui ne goûtait plus rien se devait de sentir la tarte au citron. Avec de la meringue légèrement grillée.

Soit, ce serait l'odeur de sa rupture. L'extinction de son cœur sentirait, pour toujours et de façon déplacée, la meringue, la pâte dorée, sablonneuse, débordant de cristaux de sucre brun, et le zeste d'agrume frais et vif. La tête saturée d'idées noires et du soleil plein le nez. Ironique, sans qu'il parvienne à en rire.

C'était juillet sur la ville et quelque chose comme février dans sa poitrine.

2

Lisabeth avait plissé les yeux en regardant passer un Laurent amoché. Lui qui semblait toujours tout droit sorti d'une publicité Tommy Hilfiger arborait, ce jour-là, la dégaine des lendemains difficiles, cette contenance douloureuse propre aux matins qui suivent de trop près les soirs éthyliques. Cependant, après deux ans chez Odosenss, elle connaissait assez son collègue pour pouvoir dire que l'abus d'alcool ne faisait pas partie de ses hobbys. Dieu sait qu'elle avait essayé, au début, de lui proposer un verre après le bureau par-ci, un lunch arrosé par-là. *Name it.* Elle avait tout tenté. Laurent appartenait à cette rare catégorie de gens n'utilisant pas l'alcool comme prétexte ou comme lubrifiant social. On l'invitait pour un verre ? Il analysait avec précision son désir de ce verre, le découvrait généralement faible et déclinait. Il semblait évoluer dans une bulle impénétrable. Et lisse, lisse, lisse. Lisabeth n'avait pas su trouver la faille. Pas encore.

Devant les filles du bureau, elle en insinuait long sur le jeune prodige de l'équipe des chimistes : frigide, asexué *or gay, sooo gay* ! Toutes les explications avaient été évoquées, en anglais comme en français. Parce que l'indifférence de Laurent la grugeait, l'agaçait profondément. Une fourmi charpentière particulièrement travaillante, à l'œuvre dans son corps pourtant loin d'être de bois. Elle était belle, plaisait à tous sauf à lui. Son ego s'en trouvait stimulé, mis au défi et très irrité ; un mélange explosif qui rendait Lisabeth obsédée par le cas Laurent Piffeteau. Le reste de la main-d'œuvre féminine de l'entreprise pouvait pousser un soupir de soulagement collectif : s'il ne remarquait pas Lisabeth, c'est que quelque chose clochait chez lui. Conclusion inévitable : l'espoir n'était pas permis pour des créatures aussi normales qu'elles. Elles pouvaient cesser de s'examiner, d'accuser leurs livres en trop ou le sarrau obligatoire qui leur faisait des corps informes, et classer Laurent parmi les cas désespérés.

Ainsi, en ce matin d'été où les jambes nues et dorées de Lisabeth, sous son sarrau immaculé, faisaient tourner toutes les têtes, ce Laurent in-différent mais dévasté apparut à celle-ci comme une occasion à saisir : enfin la brèche où se glisser. Il fallait l'admettre, dans son genre, il était assez craquant : ses yeux avaient le bleu pâle et aquatique des mers du Sud-Est asia-tique et il était couronné d'une chevelure fon-cée, d'un brun chocolat fort en cacao, dont les bouclettes anarchiques retombaient sur son front dans un désordre appelant la main. On avait envie de les ébouriffer, d'y enfouir les doigts ou le nez. Sinon, son physique n'était que mé-langes contradictoires : un corps démesuré-ment grand, mais doté d'une aura adolescente ; un visage aux angles prononcés, masculins, mais d'une douceur, d'une vulnérabilité émou-vantes. En regardant Laurent pour la première fois, on ne savait si l'on avait affaire à un play-boy ou à un *geek* et cette mixture inédite d'intel-lectualité et de virilité faisait de lui une créature singulière et intrigante. En outre, il ne sem-blait pas avoir conscience de son charme ; une qualité rare chez les hommes séduisants. Or, il y avait un os, une arête dans le poisson. Trop beau, tout ça. Rapidement, en le côtoyant au quotidien, on s'en rendait compte : il ne déga-geait pas la moindre phéromone dans l'air autour de lui. Quasi asexué. Bien que le lieu

de travail ne soit sans doute pas le meilleur
endroit pour donner libre cours à ses pulsions
ou harceler les collègues entre deux cafés,
parfois un regard, une phrase, une plaisanterie laissaient filtrer les préférences de chacun
en matière d'humains du sexc opposé. Pas
avec Laurent.

Entre copines, dans ses *girls nights out*, Lisabeth appelait cela « avoir du gueurrr ». De la
virilité, quoi. Sentir le sexe. Francophone par
son père, anglophone par sa mère, elle farcis-
sait quotidiennement les oreilles de ses collègues de telles expressions colorées, d'ascen-
dance anglaise ou franglaise. Du « gueurrr ».
Elle prononçait le mot en le faisant rouler au
fond de sa gorge ; un grondement animal mêlé
d'un rire. Évaluer le « gueurrr » de chaque
mâle était devenu une activité prisée des filles
du bureau depuis qu'elles avaient été initiées
au terme. On s'en amusait bruyamment, on se
moquait en se couvrant la bouche d'une main,
mais la conclusion demeurait : Laurent n'en
possédait pas une once. *No gueurrr. Sorry.* Malgré
ses attributs physiques indéniables, il semblait
dépourvu de cette cochonceté, de ce voile qui
recouvre parfois les yeux des hommes et fait
marcher leur cerveau à l'envers. Laurent était
exempt de lasciveté, de ce petit quelque chose

qui n'a rien à voir avec la beauté et qui amène les ovaires des filles à applaudir sur votre passage. De lui n'émanaient qu'innocence et pureté. Un enfant. Ou presque.

Et ça, pour une femme telle que Lisabeth, un être sexué jusqu'au bout des escarpins, dont les interactions avec la gent masculine n'étaient basées que sur cet élément, c'était inacceptable. Ça la rendait folle. On aurait pu la dire folle de Laurent, mais l'expression, dans son sens premier, demeurait inadéquate. Elle était folle contre Laurent ; un affrontement, une guerre n'ayant d'autre utilité que de lui prouver sa propre valeur. Et, si on avait ouvert les paris sur cette rixe-là, à coup sûr tous auraient misé sur Lisabeth.

Tout emplie de sa féminité, de la force du sexe faible, elle réussissait à avoir plus de « gueurrr » que lui.

3

Laurent referma la porte de l'appartement derrière lui, y appuya le dos, laissa bruyamment tomber sa selle de vélo sur le sol et, dans la pénombre de son chez-lui devenu oubliette, éclata en sanglots.

À quoi bon ces objets, ces meubles, ces plantes, toutes ces choses que Sofia aimait ? Lui ne les aimait qu'avec elle, qu'à travers elle. Le moindre bibelot avait son histoire ; au-dessus de chacun planait, comme un ballon gonflé d'hélium au bout d'un ruban, un souvenir. Laurent déambulait d'une pièce à l'autre, tournait en rond dans un logis conçu un peu trop sur le long, ne sachant s'il devait se vautrer dans ce bouquet de ballons souvenirs ou les crever en geignant. Il buta contre le coin du divan au passage, comme d'habitude, mais rien ne se produisit. Personne pour lui dire de faire attention, qu'il le heurtait si souvent qu'une section était maintenant plus foncée, salie, qu'il faudrait le changer s'il continuait à ne pas regarder devant lui, qu'il était si gaffeur. Personne.

Il eut envie d'alcool, d'oubli liquide, mais que pouvait-il y avoir pour s'anesthésier dans un tel endroit ? Dans un appartement où l'on ne prenait pas de bière devant les sports, où l'on ne recevait pas d'amis autour d'une bonne bouteille de vin, où l'on ne buvait que de l'eau. Et parfois du lait. Du Perrier, dans les grands jours.

Que du sage, du propre, du gentil ; une monotonie lassante. Sofia avait raison. Elle le lui avait dit, d'ailleurs, le lui avait crié, même :

— J'étouffe ici. Y a pas de plaisir dans notre vie ! Rien ! T'es heureux, toi, Laurent ? C'est quand la dernière fois qu'on a partagé un fou rire, hein ? Qu'est-ce qu'on a fait d'un peu fou dans la dernière année... non, décennie ! Hein ?

Dans un quiz télé, avec cette question, Laurent aurait gagné gros. « Votre réponse ? » (Décompte sonore stressant.) Rien. Ils n'avaient rien fait de fou. Sofia et Laurent n'avaient pas baisé dans une ruelle en sortant d'un res-

taurant, n'avaient jamais volé de nain de jardin
sur le terrain d'un voisin, n'étaient jamais par-
tis en voyage sans une rassurante formule tout
inclus, n'avaient en aucun temps traîné le matelas de leur lit dans le salon pour visionner un
film classé X en mode tout confort, ni sauté en
parachute, ni cuisiné dans un tajine, ni tri-
poté l'autre sous la table pendant un souper
avec des amis, ni lancé des écales de cacahuètes
par terre dans une taverne, ni pété au milieu
d'une piste de danse comme si de rien n'était.
Zéro folie.

Et Sofia avait fini par goûter l'insipidité,
par voir ce rien vide que Laurent ne voyait pas.
Ça l'avait dévorée petit à petit, ça avait avancé
sur elle, aussi inarrêtable qu'une marée, ça
avait fini par l'engloutir. Alors que, l'instant
d'avant, elle s'assoupissait dans la froidure des
flots, acceptait la noyade à deux, soudain elle
s'était ressaisie. Sofia s'était mise à cracher, à
battre des bras. Remonter, respirer, vivre. Sofia
était partie. L'avait laissé couler.

Laurent trouva, au fond d'une armoire trop
haute, une bouteille de Tia Maria poussié-
reuse. Achetée pour cuisiner un dessert, un
tiramisu, si son souvenir était bon. Le bou-
chon, collé, résista longuement à ses assauts,
ne se laissa amadouer qu'après une trempette

prolongée sous l'eau chaude et une bonne vingtaine de coups, frappés du plat d'un couteau à
beurre. Laurent téta la liqueur au goulot, lentement ; nourrisson accroché au sein. C'était
bon, doux, amer et sucré à la fois. Dommage.
Il aurait voulu que ça goûte fort la peine d'amour,
que ça incendie la gorge, que des coulées de
lave se déposent au fond de son ventre. Mais
un drame qui sentait la tarte au citron ne pouvait goûter que le Tia Maria. Drame absurde,
sucré et coloré, sorti tout droit des Télétubbies.

Lorsque son biberon caféiné fut vide, qu'il
eut léché le sucre cristallisé autour du goulot à
s'en faire saigner la langue, il se roula en boule
sur son lit trop grand, aussi long que large, et
attendit le sommeil. Vite, sombrer.

Deux heures plus tard, il ne dormait toujours pas. Pas du tout. Même posture, yeux
grands ouverts. Un pétrifié de Pompéi. Quelque chose manquait pour que s'enclenche la
lente descente, l'envol progressif de la conscience. Bien sûr, il manquait Sofia, mais sa
souffrance psychologique s'était égarée dans
l'alcool, puis dans l'agacement face au sommeil qui tardait à le prendre. Ce manque qui
le gardait plus éveillé que huit Red Bull était
physique, mais, au-delà de l'absence du corps
de son amoureuse, c'était un détail plus précis

qui faisait obstacle au sommeil. Il fixa le plafond longuement, cherchant à identifier le nœud du problème.

Son odeur.

Ce n'était pas la peau de Laurent qui ne pouvait dormir sans Sofia, il n'était pas de nature assez sensuelle pour cela ; ni ses yeux, puisqu'il les tenait fermés ; ni ses lèvres et encore moins sa langue, lui qui n'embrassait que chichement et rien d'autre que la bouche. Quant à l'ouïe, il dormait généralement avec des bouchons. De tous ses sens, c'était son nez qui criait sa carence, le confinant à un état d'éveil indéfectible.

Pour Laurent Piffeteau, surnommé Pif par ses collègues, chimiste expert en olfactométrie chez Odosenss, nez professionnel, pour cet homme qui avait dormi les quatre mille trois cent quatorze dernières nuits en respirant l'odeur de Sofia Rainier, son odeur suave de femme assoupie, le sommeil se révélait impossible sans cet élément. Il se leva d'un bond, paniqué, ouvrit tous les tiroirs, les penderies, courut en titubant jusqu'au panier de la salle de lavage. Elle n'avait rien laissé, pas un bout de tissu, pas un bas, pas un fichu qui puisse porter son odeur. Sofia avait emporté tous ses vêtements et la femme de ménage avait changé

les draps le matin même, comme tous les lun-
dis. Ce fut un choc pour Laurent. Comme de
la perdre une seconde fois.

Il retomba sur son lit, ferma les yeux, essaya
de se rappeler son parfum, de l'évoquer de
façon assez réaliste pour le sentir, presque.
Une entreprise complexe même pour lui : la
visualisation olfactive ne serait pas le prochain
concept nouvel âge qui ferait fureur.

Cette nuit-là, dans la moiteur de juillet et
les hurlements des grillons, Laurent ne dormit
pas. *Niet.* Pas même un de ces demi-sommeils,
de ces échantillons d'engourdissement dans
lesquels on s'enfonce pour remonter aussitôt :
Morphée garda les bras croisés et bouda. Il
vécut en toute conscience chaque minute de
cette longue première nuit, compta chacune
des secondes de sa déréliction, tandis qu'il gisait, immobile, étoile pathétique, au milieu de
son lit *king size*.

Si on l'avait bardé d'électrodes à ce moment
précis, on aurait pu apprécier l'hyperactivité
de la région préfrontale de son cerveau. Stimulé par ses tentatives désespérées d'olfaction
mnémonique, l'organe s'épuisait à la tâche,
faisait des combinaisons qu'il rejetait, d'autres
qu'il archivait, additionnait, soustrayait, respirait virtuellement ses propres hypothèses.

Laurent, léthargique mais éveillé, condamné à une insomnie devant laquelle il choisit d'abdiquer, s'employa, toute la nuit durant, à s'inventer un substitut imaginaire le plus fidèle possible.

Berner son cerveau. Recréer, comme un fantasme pour le nez, Sofia.

4

Deux jours plus tard, en carence de sommeil, d'amour, de vie, Laurent n'avait plus qu'une certitude : il fallait qu'elle revienne. Sans Sofia, non seulement il ne dormait plus, mais il n'arrivait plus à trouver de sens à la succession des jours ou à leur contenu. Se lever, se doucher, se raser, ébouriffer ses cheveux, enfiler n'importe quoi, monter sur son vélo, pédaler sans y penser, passer à un doigt de renverser des piétons, d'emboutir une voiture, se garer, entrer dans l'Orphéon, saluer Rolland, le gardien de sécurité moustachu, s'il était dans une bonne journée, l'ignorer s'il avait son air des mauvais jours, attendre en file au Café Clochette pour se faire servir un café pétrolifère infect et un muffin-gâteau au taux de glucides, de lipides et de calories peu approprié à cette heure du

matin (ou à n'importe quelle heure de la journée), se demander si Straz, l'employé(e) du café
était un homme ou une femme et, en l'absence
de réponse, formuler consciencieusement ses
phrases pour qu'elles fonctionnent dans les
deux cas, attendre l'ascenseur, y monter ; le
quotidien, quoi. Le tout constituait généralement une suite logique : le travail, la pause
lunch, le travail encore, puis le retour à la maison, à Sofia. Sans elle au bout de cette chaîne, ça
devenait un jeu de Monopoly sans la case *Go,* un
marathon perpétuel sans ligne d'arrivée. Il laissait ces étapes monotones se succéder, sans
broncher, mais commençait à ressentir une in-
quiétante forme d'empathie pour ceux qui dis-
jonctaient — les faits divers des journaux. Ceux
qui pétaient un plomb, fusillaient leurs voisins,
leurs collègues, l'ensemble des spectateurs d'une
salle de cinéma ou tous les écureuils sur leur
passage. Il se demandait combien de temps il
pourrait supporter la violence de son apathie
avant de se glisser dans l'une de ces petites co-
lonnes de texte discrètes dans le tabloïd du
mardi. Devenir fou, jeter sa voiture dans les
grandes baies vitrées de l'Orphéon, lancer du
café bouillant au visage de Straz, enculer le gentil gardien avec sa matraque et faire mal à tous
les autres. Faire mal. Il replaça sa cravate.

Quand ? Laisser les choses s'accumuler, sans savoir, n'avoir aucune idée de la taille du contenant que l'on est, ne pas pouvoir dire quel infime ajout sera la goutte de trop. *Quand ? Éclater quand ?* C'était la question qu'il se posait lorsque, ce matin-là, alors qu'il partageait la cabine d'ascenseur avec un jeune homme arborant casquette, excès de parfum, t-shirt à l'encolure en V trop profonde et muscles menaçant de faire exploser ledit t-shirt, la séquence fut brisée : panne d'ascenseur. Entre le rez-de-chaussée et le premier étage. Le jeune homme proféra quelques jurons d'inspiration postmoderne. Laurent s'en fichait, comme de tout le reste. La goutte de trop ne serait pas une banale panne d'ascenseur. Il prit une gorgée de café plus amer que lui et entama les trois mille calories de son muffin au gâteau blanc. Ça goûtait la fête d'enfant, sans le crémage.

— Hey *man,* t'as pas l'air ben. T'as-tu peur des ascenseurs ?

— Non, pas du tout, répondit Laurent, la bouche pleine.

— T'es comme vert, pis tes yeux sont toutes rouges pis pochés, genre.

— Merci. Mon amoureuse m'a laissé. Je dors plus. Rien à voir avec l'ascenseur. M'en fous de l'ascenseur. Passer la journée ici ou ailleurs...

—Ah (malaise). C'est ben poche... Pour ta blonde, j'veux dire.

Il y eut un silence. Bruits de mastication du muffin pour futur obèse, cliquetis inquiétant du mécanisme de l'ascenseur, immobilité ; au moins cinquante pour cent des personnes présentes dans la cabine rêvant que le câble lâche, précisément ce matin-là. L'autre cinquante pour cent sembla soudain avoir aperçu Dieu tant son visage s'illumina. Au bord de l'épiphanie, le vieil adolescent se tourna vers Laurent et lui dit, éloquent :

—Tu devrais aller voir Johnny Net, *man* ! C'est là que j'm'en vas, moé.

—Le gars du premier étage ? Celui qui met des vidéos sur internet ?

—Ouin, drette lui. Y'aide le monde à devenir *big* su' l'internet.

—Je vois pas trop le rapport avec moi.

—Si tu s'rais *big*, ta *chicks,* a voudrait r'venir, tsé. Les filles y veulent que leur *chum* soit *hot* pis riche ou ben don célèbre. Johnny y va te mettre su'a coche, *man.*

Dans un sursaut qui envoya le tiers du café de Laurent sur son avant-bras, l'ascenseur redémarra. Le jeune homme lui fit un petit salut étudié et complexe avec les doigts, un mélange entre la version *devil* et le geste servant

à faire un lapin en ombres chinoises. Il sortit
au premier.

— Lâche pas, el'gros. Pis penses-y à quessé
que j't'ai dit. Johnny, il l'a, l'affaire. Ciao.

Laurent, le bras mouillé et ébouillanté,
regarda les portes se refermer. En l'espace de
quatre secondes, il avait jugé le jeune homme
inculte, ridicule et vulgaire. Or, Laurent était
épuisé. Et désespéré. *Quand ?*

Il n'avait pas la réponse. Sa seule certitude était qu'il fallait que Sofia revienne. Un
besoin physique impérieux, empêchant son
cerveau de faire des lignes droites. Il était
assoiffé de son odeur et rampait, déshydraté,
dans des dunes poussiéreuses, sans oasis à
l'horizon. Il se rappelait avoir lu quelque part
que l'humain pouvait survivre trois jours
sans boire. On était mercredi. Ça faisait
trois jours. Son eau à lui, c'était elle. Il fallait qu'elle revienne. Quitte à ce qu'il se rende
ridicule. Quitte à ce qu'il s'abaisse. Qu'il cesse
enfin de passer ses nuits à se vautrer dans les
effluves fantômes de son odeur virtuelle
comme un chien dans le lit de son maître
absent.

Mais. Tout de même. Devenir *big* sur internet. Ridicule avec un grand R. Il n'était pas
assez fou pour croire à ces conneries, pour

s'imaginer que ça lui ramènerait une femme du calibre de Sofia.

Pas assez fou, répéta une petite voix au fond de lui. *Justement. Tu n'as jamais été assez fou. Elle te l'a dit. Et c'est pour ça qu'elle est partie.*

Mais Johnny Net, tu parles d'un nom grotesque, se répondit-il intérieurement.

Le midi même, il sacrifiait son heure de lunch pour aller s'asseoir devant le grotesque Johnny en question.

5

L'endroit le surprit. Le bureau de Johnny Net
était élégant, décoré sobrement et avec goût.
Seuls quelques laminages ornaient les murs.
Laurent reconnut, avec un certain étonnement,
le célèbre cliché de Brel, Brassens et Ferré dis-
cutant de l'art et de la vie autour d'un cendrier
et de trois micros. Alors qu'il promenait son
regard sur la pièce, son incrédulité alla croissant : une photo du lynchage de Kadhafi, un
portrait de Dany Laferrière et une affiche du
film *Cris et chuchotements,* de Bergman. Au hasard
de ses allées et venues dans l'Orphéon, il avait
souvent croisé « le gars du premier », comme
Thibert et lui l'appelaient entre eux, mais sans
jamais lui adresser la parole, à part peut-être
pour critiquer la qualité du café servi par
Straz. Sa connaissance des activités de l'homme

en question demeurait vague avant ce jour : quelque chose ayant rapport avec des vidéos sur internet, des trucs dont les potineuses du bureau se régalaient à l'heure du lunch et qui disparaissaient ensuite sans laisser de traces. Rien qui l'ait jamais intéressé outre mesure. L'oreille qu'il prêtait à ces feux de paille du web était généralement distraite, sinon condescendante. Il n'avait à aucun moment cherché à en apprendre plus sur ce « Johnny Net », son idée étant faite d'avance. Cependant, ce jour-là, alors qu'il était assis dans son bureau, gonflé de l'espoir de pouvoir poser un geste assez fou pour convaincre Sofia qu'elle s'était trompée à son sujet, cette idée préconçue ne cadrait pas avec le décor. Un décalage qui lui fit du bien en quelque sorte, qui le rassura. Confusément, il entretenait la conviction qu'un homme avec un minimum de culture saurait mieux qu'un autre quels chemins emprunter pour reconquérir une femme aussi éduquée et intelligente que Sofia. Même dans le ridicule. Même dans la folie.

— Vous aimez Bergman, monsieur… Net ?

Il avait hésité sur le nom, jugeant parfaitement ridicule la juxtaposition des deux mots. *M. Net. Calvaire. Le gars a le nom d'un personnage chauve sur un produit nettoyant…* L'homme, assez beau, début trentaine, contournait son bureau et s'apprêtait à s'asseoir. Il s'arrêta en plein mouvement, surpris par la question.

— Vous connaissez ?

— Oui, bien sûr. J'ai bien aimé ses *Scènes de la vie conjugale*. En fait, cette affiche-là, je l'ai aussi à la maison. Ben, je l'avais... Avant que Sofia parte avec...

L'homme acheva de s'asseoir, plissa les yeux et l'observa longuement.

— Vous faites quoi dans la vie, monsieur Piffeteau ? On s'est souvent croisés dans l'immeuble, mais j'ai aucune idée à quel étage vous travaillez...

— Au troisième. Les Laboratoires Odosenss. Je suis chimiste. Expert en olfactométrie.

— Et qu'est-ce qui vous amène dans mon bureau ? Vous voulez être célèbre ? Devenir une star ? Que tout le monde vous aime, vous reconnaisse dans la rue ? Vous voulez être *big* ?

L'œil sceptique, il avait débité son petit laïus, sur le ton d'un animateur de radio populaire, crachant le mot « *big* » comme une arête extirpée de la bouchée de poisson qu'on a encore en bouche. Une pointe de dégoût, un rictus vaguement haineux. Laurent était décontenancé.

— J'veux pas être *big* pour être *big*, je veux juste que mon amoureuse revienne. Elle est partie en me reprochant de jamais avoir rien fait de fou. Elle croit que je suis pas capable d'être fou...

Il fit une pause, une boule dans la gorge. Johnny Net s'inclina vers lui, l'air intéressé. Laurent poursuivit, encouragé par l'attention de l'autre.

— Moi, internet, les médias sociaux, You-Tube, la téléréalité, je connais rien là-dedans. Mais Sofia, elle, elle suit ça un peu. Bien honnêtement, je veux pas vous insulter mais le peu que je connais de votre travail m'a toujours semblé un peu pathétique et superficiel.

Il y eut un silence. Johnny le fixait, silencieux, ne semblant pas s'offusquer de la remarque, attendant la suite, tout simplement.

— J'voudrais faire quelque chose de gros, de fou, de beau. Une grande demande en mariage que tout le monde verrait... Un geste incroyable... Quelque chose d'artistique, d'intellectuel. Comme un hommage ! Quelque chose à sa mesure. C'est pas vraiment logique pour un gars renfermé comme moi, mais bon, « les amoureux ont toujours un comportement illogique[1] », hein ?

---

1. KUNDERA, Milan, *La valse aux adieux*, Paris, Gallimard, coll. « Folio », 2011, p. 24.

Laurent avait mimé les guillemets des doigts
en citant Kundera. L'extrait sembla piquer
au vif l'homme assis devant lui, achevant de
supprimer sur son visage toute trace d'intérêt.
M. Net se leva d'un bond, aussi énergique que
son alter ego nettoyant. Des émotions contradictoires bataillaient pour gagner le droit
d'occuper son visage : agacement, tristesse, las-
situde, irritation. Après de longues secondes
de lutte, ses traits s'affaissèrent et il déclara :

—Je peux rien faire pour vous, monsieur
Piffeteau. Désolé. C'est pas ça que je fais.

Laurent se leva aussi, au ralenti, de plus en
plus confus. Sans vouloir se l'avouer, il avait
mis, depuis le matin, une considérable dose
d'espoir dans cette visite. Peu à peu, ça lui avait
semblé logique. La chose à faire. Reconquérir
en grand. Être fou. En lui, des murs s'effon-
draient, dans la poussière et le fracas, des fleurs
fanaient sans même avoir éclos. Les larmes lui
brûlaient les yeux, il passait et repassait ses
doigts dans ses boucles sombres, frénétique,
consterné.

— Ok, je fais quoi, moi, sans elle ? Je conti-
nue comment ? J'ai mal. J'ai le goût de tout
casser.

Johnny Net le contempla, l'air navré. Il
soupira, les épaules lourdes, soudain.

— Je sais pas, moi. Allez voir un psy. Prenez des cours de peinture abstraite. On dit que « la créativité doit se substituer à la violence[2] »…

— Venant d'un auteur condamné pour plagiat, c'est pas un peu ironique ? lui répondit Laurent, les dents serrées.

Le visage de l'autre s'affaissa, acheva de se décomposer sous la surprise. Il se mit à marmonner, à moitié pour Laurent et à moitié pour lui-même.

— Un gars qui reconnaît une citation d'Attali… Franchement… Vraiment, vous avez pas votre place dans mon bureau, monsieur Piffeteau. Pis prenez-le comme un compliment.

— Vous êtes bizarre, monsieur Net.

Sur ces mots et pour ne pas s'effondrer, Laurent sortit, mais certaines des paroles de l'homme continuaient à faire écho dans sa tête. La créativité comme substitut… Créer un substitut imaginaire de Sofia : n'était-ce pas ce que son esprit avait tenté de faire, sans relâche, chaque minute de chaque nuit, depuis qu'elle était partie ? Toutefois, l'idée faisait son chemin en lui, se précisant, se gonflant à mesure qu'elle progressait, comme une boule de neige

2. ATTALI, Jacques, *Lignes d'horizon*, Paris, Fayard, coll. « Livre de Poche », 1990, p. 121.

dévalant une pente fraîchement enneigée.
Pourquoi se contenter d'un substitut de l'ordre
du fantasme ? Il était chimiste après tout, les
odeurs, il savait les créer.

Laurent ferait effectivement quelque chose
de fou, de beau, de grandiose, mais seul, pour
lui-même, pas pour reconquérir, mais pour
survivre : il allait recréer l'odeur d'une femme
de mémoire. Il allait sevrer son nez, faire en
sorte qu'il n'ait plus jamais besoin de la vraie
Sofia.

L'option A était disparue. Plutôt que de se
vautrer dans son souvenir, il allait créer une
option B. Une option qui tiendrait dans une
boîte. Sans jambes pour le quitter.

6

C'était étrange ; comme si le manque de sommeil avait exacerbé tous ses sens. Laurent
n'avait pas fermé l'œil depuis quatre nuits.
Tout ce qu'il touchait lui semblait souple, élas-
tique et cotonneux. Il y avait une couche de
ouate avec un certain pourcentage de spandex
entre lui et le monde ; son champ de vision
s'était rétréci. Au centre, tout était très clair,
mais les contours s'estompaient, disparaissaient dans le noir. Un tunnel. Son appétit
habituel l'avait déserté, laissant place à une soif
inextinguible. Seul son odorat semblait présenter des contrecoups intéressants : il sentait
tout avec une acuité décuplée. Ce matin-là, le
simple fait d'entrer dans l'Orphéon l'avait cata-
pulté au Fenway Park. Une délicieuse odeur de
pelouse fraîchement tondue flottait dans l'air,

dense, humide, verte et estivale. De la chloro-
phylle pure.

Ses pas l'avaient mené automatiquement
vers le Café Clochette qui, il fallait l'avouer,
gagnait beaucoup en charme à baigner ainsi
dans une odeur rappelant une toile de Rous-
seau, son sillage habituel évoquant davantage
un arabica refroidi dans lequel auraient flotté
quelques mégots de cigarettes. Prenant place
dans une file de gens encore à moitié au lit,
rêvant d'un bon café en patientant tout de
même pour en acheter un mauvais, Laurent
avait réalisé que cette sublime odeur provenait
de la personne devant lui. Un homme maigri-
chon, cheveux poivre et sel, lunettes, cravate
serrée jusqu'à l'étranglement : le croque-mort
Bellemare du crématorium Le Phénix, au
quatrième étage. Celui-ci souffrait d'anosmie
et l'acceptait difficilement. Laurent et Thibert
qui, chaque semaine, créaient pour lui une
fragrance différente, demeuraient convaincus
que cette perte d'odorat était d'origine psychologique. À force de pencher son long nez
sur des cadavres, le pauvre homme avait dû finir par court-circuiter son système olfactif
pour se protéger. C'était leur théorie. Oscar
Bellemare n'était qu'un client de moindre envergure pour Odosenss, mais c'était le plus

assidu. Et le moins difficile à satisfaire, puisqu'il ne sentait rien. Au début de chaque
semaine, il passait sa commande, laissant un
briefing écrit ou allant s'asseoir devant le duo
de chimistes pour leur décrire, avec moult
détails, une odeur sortie tout droit de son
enfance. Pif et Thibert auraient pu lui refiler
n'importe quoi, mais ils aimaient bien ce drôle
de bonhomme, excentrique et verbeux à sou-
hait. Alors ils y mettaient une bonne dose
d'efforts, se relayaient pour répondre à ses
demandes avec professionnalisme et lui livrer, chaque jeudi, un produit de qualité.
Cinquante-deux arômes par année, imper-
ceptibles, inodores pour celui qui les payait.
Gazon Frais Coupé (GFC63529) était une
création de Thibert, même si ce n'était pas son
tour : Laurent manquait de concentration. De
plus, la conception des produits du croque-
mort avait toujours été auréolée de rire et de
légèreté, deux choses pour lesquelles Laurent
avait présenté des aptitudes réduites récemment. Il détourna la tête, un peu pour échapper à ce viol olfactif, beaucoup pour éviter
d'avoir à affronter les monologues interminables
d'Oscar Bellemare. Il n'en avait pas le courage
ce matin. Straz lui servit son café, lui demanda
s'il voulait des jujubes avec ça. Brumeux,

Laurent mit de longues secondes à répondre, dévisageant les mini-framboises et les tranches de melon sucrées-surettes, évaluant son désir matinal pour de tels aliments.

— Euhhh… non merci.

Il traîna un peu, afin de ne pas monter dans le même ascenseur que le Fenway Park ambulant. Celui-ci avait dû, comme à son habitude, laisser tomber quelques gouttes de son odeur du moment sur le collet de sa chemise, espérant détecter les effluves tant attendus. Il n'avait sans doute pas forcé la dose ; c'est Laurent qui était déglingué. Les produits livrés à Bellemare étaient toujours subtils, volatils, destinés à être humés de près. Que Laurent sente GFC63529 à des mètres, même après la fermeture des portes de l'ascenseur, faisait partie des symptômes de son insomnie.

` Un odorat supérieur, tous les chimistes embauchés chez Odosenss se devaient d'en posséder un. Néanmoins, une hyperosmie du calibre de celle qu'il expérimentait ce matin-là devenait un handicap. Arrivé au labo, il faillit vomir en retirant le couvercle de son café et finit par le jeter dans l'évier. Tout l'avant-midi, il essaya de se concentrer sur l'odeur de poudre pour bébé qu'il devait intégrer au plastique d'un jouet pour enfants, incommodé par le travail de Thibert : une odeur d'œufs pourris particulièrement intense, conçue pour que les fuites de gaz naturel ne passent pas inaperçues dans les maisons de la province. Plusieurs mètres séparaient les deux chimistes et le tout n'était même pas sorti de l'extracteur ; n'empêche, il pouvait la sentir. De même que la réglisse à la cerise que Thibert mâchouillait mollement, la laissant pendre entre ses lèvres. Œufs et réglisse : un mélange vomitif. Laurent passa la journée à ravaler son cœur.

Les heures suivantes se traînèrent dans un brouillard épais, rempli d'odeurs amplifiées, évadées du corps d'un collègue ou d'une boîte à lunch. Les règles concernant les parfums, l'hygiène et les repas odorants étaient pourtant strictes et respectées chez Odosenss. De toute évidence, son nez était déréglé. Il fallait qu'il dorme. Comme la veille et l'avant-veille, il n'eut pas la force d'aller jogger pendant sa pause repas, encore moins d'avaler quelque chose. Il passa toute l'heure sur le grand balcon donnant sur le fleuve, à inspirer profondément, les yeux fermés, les mains appuyées à la rampe. Tous les étages possédaient ce genre de balcon. Celui d'Odosenss servait surtout à aller se refaire un nez entre deux projets, le règlement interdisant d'y fumer. Après ce bain

de vent, l'après-midi fila plus lentement encore que ses nuits de veille. Laurent égrenait
un chapelet de minutes interminables, attendait qu'enfin les laboratoires se vident. *La création
comme substitut.*

Après quatre nuits à le faire en pensée,
après sa visite chez Johnny Net, il s'était per-
suadé qu'il pouvait réellement recréer l'odeur
de Sofia. Option A versus option B. Sofia versus Sofi-B. S'il savait copier avec maestria les
effluves d'un mets, d'une plante, d'un endroit,
pourquoi ceux d'une femme — avec laquelle il
avait été aussi intime — resteraient-ils hors de
sa portée ? Ça s'était déjà fait. Ou presque.
Deux ans auparavant, Thibert avait eu à inté-
grer l'odeur d'une star de la porno à un jouet
érotique à son effigie. Julia, Jenna, Josia,
quelque chose de court, commençant par un J
et finissant par un A. Un projet qui s'était ins-
crit en majuscules dans les annales personnelles du Français, sans mauvais jeu de mots.
Évidemment, la commande ne demandait pas
que le résultat soit fidèle à l'odeur réelle de la
star. Il fallait seulement que ça sente bon, que
ça sente la femme. Tout de même, par professionnalisme ou par excès d'enthousiasme, Thibert avait demandé, à l'époque, à avoir accès à la
femme à copier, à son corps, pour y effectuer

des prélèvements, et sa requête avait été satis-
faite. Une option qui manquait cruellement à
Laurent. Il se raccrochait à l'idée que ça s'était
déjà fait. Et il ne voyait plus d'autre solution
pour retrouver le sommeil. Comme un artiste
qui peint son tableau intérieurement depuis
des jours, qui le laisse naître, puis grandir en
lui, il se figurait que la dernière étape — jeter
les couleurs sur la toile ou, dans son cas personnel, faire évaporer les solvants, obtenir la
concrète, puis l'absolue — n'était que la portion artisanale, simple et manuelle de son art.
L'œuvre existait déjà, quelque part en lui. Le
reste n'était que vulgaire fabrication industrielle. *Allez voir un psy. Prenez des cours de peinture
abstraite.* Il allait peindre. À sa façon.

S'il avait pu réfléchir normalement, s'il
n'avait pas nagé en permanence dans une mélasse de fatigue collante et laineuse, peut-être
aurait-il réalisé que, depuis que l'odeur de
Sofia l'obnubilait, la femme, elle, s'effaçait lentement. Peut-être aurait-il fini par voir ce dé-
placement étrange de son intérêt pour elle, de sa
peine au profit de ce qu'il savait faire de mieux.
Non. Il ne voyait rien. Vivait dans le déni
d'un être par une focalisation obsessive sur une
fraction de celui-ci. L'odeur de Sofia, caracté-
ristique qui lui était propre, ne transportait

pas la même charge émotive que la femme tout
entière, puisque l'odorat avait pour lui, en
somme, quelque chose de scientifique, de professionnel. Il repensait au cou de son amoureuse, à sa chevelure, à son dos moite la nuit,
s'y abîmait. Mais il y repensait avec son nez,
pensait quantité des ingrédients, temps de re-
pos, extraction, type de solvant. Comme si elle
n'avait été que cela : une odeur à ses côtés.

Lorsque les bureaux furent déserts, il s'activa,
manipula alambics, solvants, huiles et odeurs
déjà composées appartenant à la grande
banque d'Odosenss. Il y allait à l'instinct, sans
trop analyser les ingrédients, ne se fiant qu'à sa
mémoire olfactive. Il se rappelait très bien les
notes de tête, florales, sans doute en partie
constituées du parfum porté par Sofia et des
crèmes ou cosmétiques qu'elle utilisait. La
note de cœur était sucrée et amère, comme le
pamplemousse. C'était la note de fond qui posait problème. L'odeur d'un être humain, faite
de son sébum, de sa sueur, de ce qu'il mange,
boit, respire. Une odeur ambrée, boisée, grasse
et poudreuse à la fois. Sa Sofia.

Puis vint un moment dans la soirée — était-
il là depuis une heure, deux ou sept ? — où il
inspira et comprit qu'il y était arrivé. Son nez
s'emplit d'une bouffée de Sofia Rainier. Il l'avait

recréée, avait inventé Sofi-B, sans prélèvement, en s'aidant de sa mémoire seulement. Des larmes lui piquèrent les yeux. Puis, une autre odeur lui fit relever la tête, soudain aux abois. Dans l'embrasure du labo se tenait Lisabeth, une épaule appuyée au chambranle de la porte. Elle l'observait avec curiosité. Les mauvaises langues (dont Thibert) la disaient lente à cerner une odeur, incapable de productivité dans son travail, véritable abonnée de ces soirées d'*overtime* dont elle se plaignait sans cesse. Laurent, interrompu en pleine extase, dans l'ébriété de son sommeil carencé, la voyait debout dans un long tunnel, entendait ses mots résonner avec un certain écho. Surtout, il la sentait avec justesse, pour la première fois, et ça la lui rendait plus sympathique qu'elle ne l'avait jamais été. La froide Lisabeth avait une odeur de groseilles, un parfum gentil et enfantin, totalement incompatible avec l'idée qu'il s'était faite de cette femme jusqu'alors. Les yeux de Laurent voyaient une louve dans la pénombre, mais son nez respirait le Petit Chaperon rouge.

Elle ne parla pas de chevillette, mais, comme la bobinette, il chut, assurément.

1

Des bruits légers, entendus depuis son propre labo, où elle s'acharnait sur une odeur de bord de mer qu'elle savait trop complexe pour elle, l'avaient intriguée. Ça venait du labo n° 3 où Laurent et Thibert, ces foutus petits prodiges, dépassaient rarement le cadre du neuf à cinq. De son côté, lorsque la soirée de travail s'étirait sans que surgisse de ses éprouvettes la magie escomptée, Lisabeth finissait par maudire son choix de carrière, par s'exécrer elle-même. Aux heures creuses de certaines nuits, quand la commande se révélait trop ambitieuse, elle s'écroulait parfois, extirpait avec hargne, du fond d'une gorge enrouée de fatigue, les mots « imposteur » et « fumiste », se les lançait elle-même au visage, accusatrice.

Lisabeth avait choisi d'étudier la chimie parce que son amoureux, à l'époque universitaire, optait aussi pour cette branche et qu'après tout, elle réussissait plutôt bien en sciences. Ensuite, elle s'était spécialisée en olfactométrie un peu par accident et sans véritable passion, au hasard des offres d'emploi à la fin de ses études. On ne pouvait pas parler de vocation. Elle aimait pourtant l'emploi qu'elle occupait chez Odosenss et était une bonne chimiste, mais qui eût mieux fait d'opter pour un secteur différent. Elle n'avait pas de nez. Ou, du moins, un nez tout à fait dans la moyenne.

Ce soir, justement, il se faisait tard et ses espoirs de succès avaient des airs de mannequin anorexique une veille de défilé. Elle avait presque rêvé, en entendant des fioles s'entrechoquer, de trouver là Thibert, avait envisagé la possibilité de lui faire un peu de charme pour obtenir son aide. Et voilà qu'elle tombait plutôt sur Laurent, à qui jamais elle n'aurait demandé quoi que ce soit, encore moins un coup de pouce, devant qui son orgueil grondait comme un ours noir.

Toutefois, le Laurent qu'elle surprit là la laissa pantoise. Elle ne l'avait jamais vu dans un tel état. Lisabeth se laissa choir contre le chambranle de la porte, un peu pour prendre appui sur quelque chose, un peu pour se donner une contenance lorsqu'il poserait les yeux sur elle. Or, elle n'eut pas le loisir de l'observer longuement : on eût dit qu'il avait senti sa présence. Elle sursauta tandis qu'il relevait la tête vivement, comme piqué par une guêpe. Il avait cet éclair inquiétant dans le regard, cette dilatation de l'iris qu'elle associait spontanément aux gens drogués. Cependant, il y avait autre chose, une impression basée sur de l'intangible. Laurent avait toujours été contenu. C'est le mot qui lui vint à l'esprit. Lisse et fermé, comme un pot Mason bien scellé. Ce soir, ça avait bouillonné, le couvercle avait sauté et il y avait de la sauce partout. Laurent avait débordé.

He's out of control.

Elle eut peur et fut attirée, à parts égales.

Puis, Lisabeth repensa au Laurent qu'elle connaissait, à son imperméabilité, au mur de béton sans aspérités qu'elle croyait devoir escalader, en talons hauts, pour l'atteindre et sut, au-delà de tout doute, que sa seule chance de percer cet homme-là, elle l'avait devant elle, là, maintenant. Une légère brise, fraîche, humide, s'enroula autour de ses jambes nues, venue d'on ne sait où. Elle déglutit et fit un pas vers lui.

Il la fixait, halluciné, immobile, sauf pour ses narines qui s'agitaient de façon spasmodique. L'espace d'un instant, elle eut l'impression de marcher vers un animal sauvage, d'avoir lâché la main de son papa, au zoo, pour entrer dans la cage d'un fauve. Non. Dans l'étang d'un hippopotame. Le genre de bête meurtrière qui a l'air si mignonne, si maladroite, mais qui court à trente kilomètres à l'heure sur les fonds boueux, avant de se propulser vers la surface ; qui peut trancher en deux un homme et sa barque d'un coup de mâchoire.

Ce n'est pourtant pas lui qui se jeta sur elle.

8

Laurent s'assit sur son lit précautionneuse-
ment, comme s'il n'avait plus su la hauteur
qu'il avait. Il y posa les fesses comme un vieil-
lard aveugle, au ralenti, tous les muscles de ses
cuisses contractés, attendant de rencontrer
une surface. Son corps se détendit au contact
du matelas et il expira un grand coup. Il lui
fallait dormir, sombrer pour retrouver Laurent, quelque part au fond de lui. Il s'était
perdu.

Il extirpa une petite boîte de la poche intérieure de son veston. Blanche, étanche, avec le
logo Odosenss embossé dans le plastique : un
joli boîtier qui contenait — urne funéraire moderne et métaphorique — Sofia. Il prit le mi-
nuscule diffuseur entre le pouce et l'index,
l'inséra dans la prise de courant comme on

passe une bague au doigt de la femme qu'on aime. En quelques secondes, Sofi-B emplit la pièce et il sut que la fin de semaine serait supportable.

Il s'endormit sans une pensée pour les événements de la soirée. Trop longtemps privé de sommeil, au paroxysme de sa carence, il avait eu la nette impression de rêver le réel, et ce rêve-là était de ceux dont on ne souhaite pas se souvenir au réveil.

9

— Laurent !

Mardi matin. L'interpellé, café goudronneux intact dans une main, selle de vélo comme une extension de l'autre, yeux encore englués, peinait à se rappeler son lundi, sa fin de semaine, sa vie, même. Ah. Oui. Sofi-B. Le sommeil retrouvé. Mardi matin, son pied, suspendu en l'air, n'était pas encore sorti de l'ascenseur que déjà on l'attaquait. Apostrophé, pris en otage ; ça ne pouvait être qu'une seule personne : M. Elliott. Lunettes noires griffées, sourcils les chevauchant sportivement, peau luisante de cet intarissable sébum de patron qu'aucune marque de poudre matifiante ne saurait juguler : Laurent visualisa tout cela avant de se retourner pour voir le spécimen. Unique propriétaire des Laboratoires Odosenss, le petit homme avait tout de l'entrepreneur dynamique : verbomoteur à l'excès et incapable de se reposer. Avec lui, tout n'était que mouvement ininterrompu. Ainsi talonné, Laurent ne prit pas la peine de s'arrêter pour écouter son habituelle verve dénuée de ponctuation, sachant très bien que son patron préférait lui parler en trottinant à ses côtés. Lorsqu'ils déambulaient ainsi côte à côte dans les couloirs de l'entreprise, la petitesse de l'un juxtaposée au quasi-gigantisme de l'autre leur donnait une dégaine des plus cocasses. Et les détails particuliers de l'architecture des lieux ajoutaient au risible. En effet, afin de laisser passer la lumière, les espaces de travail avaient été construits en demi-murs d'un peu plus d'un mètre de haut. Le reste était fait de verre, jusqu'au plafond. Par conséquent, les deux hommes, le bas du corps caché aux regards et le haut visible, le pas leste et rapide, donnaient l'impression d'avancer sur l'un de ces tapis roulants d'aéroport.

— J'ai-besoin-de-vous-sur-un-projet-jeune-homme-vous-connaissez-Ernesto-DaSiggi-propriétaire-du-crématorium-du-quatrième ? (Respiration sibilante.)

— Oui...

— Il-lui-faut-une-odeur-d'arène-de-cirque ! (Phrase trop courte pour nécessiter une inspiration.)

ODORAMA

Dans son veston trop étroit, le petit homme éclata de rire sans reprendre son souffle et on entendit une couture geindre.

— Eh-oui-je-sais-drôle-de-demande-mais-c'est-urgent-c'est-pour-ce-samedi-et-tous-les-détails-sont-dans-ce-dossier-vous-savez-que-nous-souhaitons-conserver-de-bons-rapports-avec-nos-colocataires-de-l'immeuble-et-puis-son-employé-M.-le-croque-mort-est-déjà-un-habitué-de-nos-services-ah-et-j'y-pense-il-veut-une-odeur-de-pain-d'épice-à-l'ancienne-aujourd'hui-il-était-pressé-et-m'a-demandé-de-vous-transmettre-la-commande. (Respiration de noyé qui refait surface.)

— Parfait, monsieur Elliott. Je m'en occupe.

— Merci-alors-bonne-journée-mon-garçon-et-n'y-portez-pas-trop-attention-votre-tenue-moins-soignée-des-derniers-jours-semble-avoir-fait-de-vous-un-sujet-de-ragots-mais-il-ne-faut-pas-vous-laisser-distraire-par-d'aussi-futiles-commérages-et-moi-je-savais-bien-que-vous-retrouveriez-vos-habitudes-vestimentaires-bien-vite-tout-homme-peut-être-à-court-de-vêtements-propres-un-jour-ou-l'autre-allez-bon-mardi.

Laurent n'eut pas même le temps d'entendre le stridor de la dernière inspiration de

son patron que, tout sourire sous son énorme
nez, celui-ci trottait déjà dans une autre direction. Secouant la tête, dubitatif, il entra
dans le labo n° 3. Contrairement au reste des
bureaux, les laboratoires étaient fermés et
non fenestrés, le soleil altérant les fragiles
ingrédients.

— T'es sur l'arène de cirque avec moi,
Thibert ?

— Salut, Pif. Mmmouais. On va encore se
coltiner du bestial. Ça craint. Je commençais à
peine à retrouver l'appétit depuis l'odeur de
chienne danoise en rut qu'on a refaite le mois
dernier. Tu sais, celle pour la vieille bour-
geoise qui voulait stimuler la libido de son clé-
bard ? Beurk. Tout ça pour vendre des chiots
plus purs que de l'Evian à des gosses pourris
qui en voudront plus deux semaines après
Noël. Tu parles...

— Ouin, t'es en forme ce matin !

Thibert ouvrit le côté « framboise bleue »
de sa boîte de bonbons Nerds et s'en envoya
une poignée dans la bouche avant de répondre.

— Merci, toi aussi t'as l'air pas mal. La
semaine dernière, avec ta tronche du pas possible, tu m'foutais les jetons, mec...

Laurent s'attela tout de suite au pain d'épice
à l'ancienne. Ce serait vite réglé : muscade,

girofle, cannelle, gingembre, mélasse épaisse, beurre, sucre roux ; faire l'odeur, c'était presque comme cuisiner la recette. Des ingrédients distincts aux arômes musqués, sucrés et piquants, la plupart tous déjà en stock sous forme d'absolue ou d'huile essentielle. Un jeu d'enfant. Avant le lunch, leur labo sentait Noël. Ça donnait faim.

— Ça sent trop bon, ton truc, Pif! C'est vachement dommage que Bellemare il sente que dalle.

Thibert se tenait au milieu de la pièce, les yeux fermés, le nez en l'air comme un chien de chasse, lorsqu'Élyse pointa le bout du sien dans leur antre. Laurent crut d'abord, naïvement, qu'elle avait entendu parler de leur produit du jour et que, mue par une gourmandise olfactive qui cadrait bien avec son physique replet, elle venait renifler à droite et à gauche. Pour plusieurs personnes contrôlant mal leur apport en calories, sentir de la nourriture permettait d'éviter d'en ingérer. Au cours des cinq dernières années, l'Odo-Minceur avait d'ailleurs été le secteur présentant la plus forte croissance chez Odosenss.

Élyse était de ces femmes confortables dont la peau semble faite de lait et de poudre ; une véritable muse moyenâgeuse conçue par

Dieu pour prendre autrui dans ses bras et le réconforter. Toutefois, ce jour-là, assise devant lui, sa petite bouche rose pincée-plissée, Élyse affichait plutôt un mélange de contrariété et d'intense excitation qui n'avait rien à voir avec l'odeur affriandante embaumant la pièce. Elle fit un signe bref à Thibert, lui intimant l'ordre de dégager les lieux au plus vite.

— Dis-moi, Laurent…

C'est ainsi qu'elle commença et ces trois mots levèrent le rideau sur le plus grand talent de comédie, de persuasion et de manipulation pouvant être contenu dans une adjointe à la direction. Tandis qu'elle livrait son texte, Laurent ne réussissait qu'à fixer le volume de sa frange, tout droit sortie des années quatre-vingt. *Combien de millilitres de fixatif là-dedans ?* Voilà, disait-elle, Pat, le jeune homme responsable du système de sécurité interne chez Odosenss, mal à l'aise, lui avait remis une bande tirée de la caméra du labo n° 3, ne sachant quoi en faire. Elle avait vu les événements de « vendredi soir » — elle articulait ces deux mots en mimant les guillemets et en soulevant les sourcils en accents circonflexes. Vendredi soir. Le rêve, soudain, lui revint. Lisabeth, le réel rêvé éveillé. Élyse fit oui de la tête quand elle vit sur son visage des signes de compréhension.

Cet appétit dans ses yeux? Rien à voir avec le pain d'épice. Ça se nourrissait de potins, cette grassouillette-là!

Une séquence filmée, c'était certes un peu embêtant, mais bon. Laurent n'arrivait pas à s'en soucier réellement. On ne pouvait même pas parler d'adultère puisqu'il n'avait plus d'amoureuse légitime. Serait-il embarrassé si la chose venait à être rendue publique? Sans doute. Mais si peu. Dans le pire des cas, il subirait les railleries (et la jalousie) de Thibert pendant quelque temps. Un dommage collatéral qu'il jugea parfaitement acceptable.

— Dès que j'ai vu c'que c'était, j'ai arrêté de regarder. J'te jure.

Élyse promettait de ne rien dire, mais voulait savoir. C'était tout ce qu'elle voulait d'ailleurs : savoir. Être dans la confidence. Pourquoi? Pourquoi avait-il cédé après une si longue résistance, pourquoi maintenant et pourquoi Lisabeth? *On prend toujours un train avec Élyse. À go, confiez-vous.*

Laurent fut bref : trois mots. Quatre en comptant l'apostrophe.

— Sofia m'a laissé.

Et si ce n'était pas vraiment une explication, l'information, elle, était vérifiable. Sa conjointe l'avait laissé, il n'avait plus su dormir et sa vie lui avait glissé des mains comme une pinte de lait sur le carrelage de la cuisine. Or, ce n'est pas ce qu'Élyse entendit dans ces trois mots et demi. Sur son visage complice se dessina un air attendri. Elle porta un poing à sa large poitrine.

— T'avais le goût depuis longtemps, mais tu résistais par fidélité... Je l'savais que ça existait encore, mautadine.

Et voilà qu'était lancée sa réputation d'homme amoureux, fidèle, exemplaire, qui avait désiré l'irrésistible Lisabeth, comme tous les autres, pendant si longtemps, mais qui, contrairement aux autres, avait résisté. Un guerrier. Un héros. Qui n'avait cédé qu'une fois éploré, abandonné, libéré contre son gré de ses engagements. Élyse s'avança, posa la main sur son bras et baissa le ton.

—J'vais faire désactiver la caméra de ton labo pour un petit bout. Oups! Brisée! De toute façon, j'sais pas pantoute pourquoi y en a une. Dans toute l'histoire d'Odosenss, y s'est jamais rien passé pour qu'on ait besoin d'espionner les employés.

Et elle quitta le labo n° 3 avec, dans l'œil, une petite humidité. Un héros.

La vérité était plutôt qu'après tant de nuits sans sommeil, lorsque Lisabeth avait attaqué, il n'avait pas eu la force de la repousser. Se laisser faire avait semblé moins éreintant que de combattre ou de protester. Moins fatigant que d'avoir à gérer l'après-refus. Il croyait Élyse lorsqu'elle disait ne pas avoir regardé l'ensemble de la séquence, car alors elle aurait vu qu'il n'avait pas montré beaucoup d'ardeur à la tâche. Quelques questions à la principale intéressée lui auraient confirmé la chose. Son admiration émue aurait sans doute descendu d'un cran.

Littéralement, il avait fait l'étoile et s'était laissé baiser, sur le plancher de son labo.

10

Lisabeth était atteinte de haine grimpante et, dans son cas précis, il s'agissait bel et bien d'une infection transmise sexuellement. Elle avait été humiliée. Les parois de son estomac se corrodaient tant elle ne le digérait pas. Laurent s'était laissé cueillir, fleur n'en ayant rien à cirer, se laissant arranger en bouquet, se contentant de dégager une odeur agréable. Et elle, dans son souci de livrer une performance mémorable, d'être belle, habile, séduisante, s'était échinée sur un corps amorphe, avait jeté dans une oreille sourde quelques mots cochons, en anglais, avait vu, pour la première fois, un homme jouir avec le regard vide. Laurent lui avait donné un droit de passage sur sa chair, rien d'autre. Égoïste, il n'avait rien partagé.

Fucker.

Elle engueula la jeune réceptionniste, puis sa stagiaire ; ça ne lui fit pas le moindre bien.

Il fallait le lui faire payer. Lui faire payer l'absence d'étincelles dans ses yeux devant son corps nu, ses glandes salivaires restées sèches, sa lenteur à jouir, comme s'il lui faisait une faveur de finir par lui livrer quelques chiches gouttes laiteuses.

Elle se détestait de ne pas lui avoir lancé son caleçon à la tête en plaçant l'une des vingt-deux répliques cinglantes et intelligentes qui lui étaient venues à l'esprit dans l'ascenseur, après, en même temps que les larmes. Seulement après.

Elle se détestait d'avoir eu la faiblesse de trop vouloir plaire, une fois de plus, et lui, elle le détestait de ne pas avoir même essayé de la charmer un peu.

11

L'odeur d'arène de cirque était presque terminée.
Le labo n° 3 sentait le fauve, le pachyderme, les
cages souillées, la paille, la poudre à canon et la
fumée d'un cerceau fraîchement éteint. À ces effluves lourds se mêlaient des pointes légères, à
peine perceptibles : la barbe à papa suçotée dans
les gradins, le maïs soufflé au caramel échappé
entre les bancs, l'odeur de tous ces spectateurs assis
dans la moiteur sous une tente en plein soleil.
Un produit complexe et dense qui faisait un travail
d'évocation formidable pour qui se permettait de
fermer les yeux et de se projeter, mais qui prenait un peu à la gorge à la première bouffée.

— Le bestial, beurk, lâchait Thibert toutes
les cinq minutes.

Pour compenser, il avait fait provision
d'un bon kilo de Jelly Beans, toutes saveurs

mélangées, et il les enfilait par dizaines, créant une saveur inédite melon-piña-colada-café-gingembre-citron-framboise-anis-pomme-verte-yogourt-basilic-thé-chaï. Puis, au moment où il croyait détecter un goût nouveau dans le lot (une petite explosion de caramel à la fleur de sel qui le laissa béat), une femme se présentait, bien droite, à la réception des Laboratoires Odosenss et demandait à ce qu'on la conduise au laboratoire de M. Piffeteau. Sa requête formulée, elle patienta sur place un court moment, plus immobile qu'une statue grecque, l'air fier, pendant que la réceptionniste répondait à un appel en lui faisant de grands signes censés lui intimer l'attente. L'instant fut bref, certes, mais suffisamment long pour permettre à Lisabeth de passer par là en coup de vent et de semer une feuille sur son passage.

— Oh! vous avez laissé tomber ça, lui dit la femme en lui tendant aimablement le papier.

La réceptionniste, jeune étudiante fraîchement assise sur sa chaise à roulettes rembourrée, ne sachant trop ce que le protocole voulait qu'elle fasse de cette visiteuse impromptue, en profita pour demander à Lisabeth de conduire la dame au labo n° 3.

Les deux femmes marchèrent d'abord en silence.

Tandis qu'elles traversaient le long couloir bordé de bureaux cloisonnés, la visiteuse, à la fois superbe et amène, coupa le souffle de chaque homme salué et se fit, à grand renfort de sourires modestes, des tas d'amies potentielles. Lisabeth jugea alors utile de se présenter, de pouvoir mettre un nom sur Mme Parfaite. L'inconnue rencontra ainsi sa première ennemie.

Parce que l'inconnue s'appelait Sofia.

— C'est juste ici, lâcha Lisabeth en abandonnant la brunette à quelques mètres de la porte du labo.

Celle-ci la remercia et poursuivit son chemin, éclaboussant du roulis de ses hanches les dernières cloisons environnantes, se mouvant élégamment en direction du lieu de travail de son ex. À son insu, ses omoplates furent transpercées, vitriolées lâchement par les yeux verts de cette blonde presque aussi jolie qu'elle, enlaidie par l'amertume et l'humiliation de se mesurer, soudain, à celle qui réussissait là où elle avait échoué.

You bitch.

Sofia frappa trois coups de son poing délicat, puis plissa le nez, assaillie par une odeur d'Afrique encagée, au poil englué de friandises.

— Salut, Laurent... Je peux te parler ?

Celui-ci s'arrêta net au milieu d'une blague à Thibert qui, lui, s'étouffa presque avec ses bonbons. Ça ne dura qu'une fraction de seconde mais, l'espace d'un battement de cœur, on aurait juré que Laurent ne reconnaissait pas la femme devant lui. Ensuite vint la stupéfaction.

Elle posa les fesses sur un tabouret, entortillant ses longues mains de pianiste l'une autour de l'autre, mordillant sa lèvre inférieure de façon irrésistible, tandis que la mastication bruyante de l'amateur de Jelly Beans cessait net. Celui-ci regardait cette lèvre, charnue, rosée, luisante et, comme chaque fois qu'il se trouvait en présence de Sofia, perdait ses mots, oubliait d'envoyer quelque impulsion nerveuse que ce soit à ses membres qui se figeaient dans un état contemplatif.

Sofia faisait partie de ces femmes qui plaisent universellement. Aux hommes comme aux femmes, les uns rêvant de la dénuder, les autres d'en faire leur meilleure copine. Née de mère moitié jordanienne, moitié grecque et de père français, elle avait hérité d'une physionomie aux lignes d'une droiture parfaite et il n'y avait rien chez elle qui ne fût gracieux, élégant, raffiné. Ses longues boucles d'un brun cuivré coulaient sur ses épaules, souples, festives, et de ses immenses yeux noirs et humides émanaient

gentillesse, bonté et intelligence. Sofia était toujours la plus belle dans une pièce et, contrairement aux autres femmes qui arrivaient parfois
à récolter ce titre en son absence, elle avait
toujours réussi, jusqu'à ce jour, à n'être détes-
tée de personne. Quelques langues venimeuses
s'étaient déjà risquées à glisser une remarque
désobligeante sur sa trop grande perfection ou
la totale neutralité des couleurs de ses tenues,
mais nul ne peut médire sans une oreille com-
plaisante. Dans le cas de Sofia, personne ne
voulait offrir cette oreille. Tous préféraient
regarder passer la parade royale qu'était, à son
insu, sa démarche, avec un sourire béat.

Assise là, devant un Laurent médusé et un
Thibert salivant, elle ne demanda pas même à
celui-ci de sortir avant de prendre une longue
inspiration et la parole.

— Je veux revenir, Laurent.

Cataleptique, le principal intéressé ne bron-
cha pas. Thibert, lui, se tourna vers son collègue, la bouche ouverte, au ralenti. Sofia
sentit le besoin de préciser puisqu'il ne semblait pas comprendre. Elle lui sourit.

— Avec toi. Je veux redevenir un « nous ».

Et, comme toujours, ce qu'elle voulait ferait loi. Il en avait toujours été ainsi entre
eux. Avant d'avoir une réaction appropriée,

Laurent eut une pensée déplacée pour cette odeur, pour Sofi-B, si bien réussie, qui l'attendait dans sa chambre. Dont il lui faudrait se défaire.

Il eut un pincement.

12

Sofia avait vu les yeux de Thibert sur elle, avait vu les yeux de tous les employés mâles d'Odosenss sur elle. Pourquoi Laurent ne savait-il pas, lui, la regarder comme ça ? Il avait fallu qu'elle tombe amoureuse du seul homme qui fasse l'amour comme on mange des crudités : de façon utilitaire, avec de petits bruits secs, une faible dose de plaisir et beaucoup de bienfaits mesurables. Du sexe hygiénique. Bon pour la santé, le moral et le couple : une foule d'études le prouvaient.

Elle était nourriture et rêvait d'un gourmand, d'un goinfre qui saurait se gaver en se tachant la figure et les mains ; un glouton avide, de ceux qui se lèvent au milieu de la nuit pour reprendre du gâteau avec les doigts, debout, dans le rai de lumière de la porte du frigo, en

fermant les yeux pour mieux se délecter. Elle
voulait qu'on ait faim d'elle, qu'on soit perpétuellement affamé de chaque morceau de son
corps, qu'on craque, qu'on cède aux impé-
ratifs de cet appétit insatiable, qu'on lèche,
croque, engouffre parce qu'on ne peut faire
autrement. Parce que c'est plus fort que soi.
Viscérale animalité.

Son Laurent, si beau, si brillant, était un
gourmet plus sujet aux fringales qu'à la ri-
paille. Il la prenait comme une huître, délicatement, pour l'aspirer du bout des lèvres, lentement, avec application, prenant garde de ne
rien renverser. Jamais il ne la brusquait : il lui
faisait l'amour, et le verbe « baiser » revêtait
encore pour lui son sens moyenâgeux, celui-ci
s'appliquant davantage au dos d'une main qu'à
un quelconque orifice. En silence, il jouait de
son corps comme un musicien amateur, sans
rythme. Elle voulait être une guitare électrique. Fantasme rock et vain. Lui qui n'avait
jamais su accorder ses membres à aucune musique pour danser, produire des mouvements
agréables à l'œil, ne savait pas non plus être au
diapason de son amoureuse. Rien n'était fluide.
Et, sans harmonie, le sexe devenait une mécanique sans magie. Un danseur de claquettes
sur un air de tango. Tout ça l'éteignait, la

déprimait. Une flamme pressée entre deux doigts mouillés.

Mais elle était revenue.

Elle s'était assise sur un tabouret, dans son labo, et lui avait demandé de la reprendre.

Elle l'aimait.

13

Laurent aida Sofia à porter ses cartons de la voiture à l'appartement. Il la regarda remettre chaque objet à sa place, méthodiquement, comme si des bandes élastiques les y avaient reliés ; boomerangs envolés puis revenus, retrouvant avec exactitude leur angle initial. Il ne posa aucune question, par peur des réponses, sans doute. Et aussi parce que son esprit flottait en eaux troubles. Il aurait aimé être plus fébrile, soulagé de ce retour ; ne pas avoir l'impression d'avoir épuisé ces émotions le soir de la création de Sofi-B. Pourtant, c'était là, aussi présent qu'un trou puisse l'être : l'absence. Les bonnes émotions faisant l'école buissonnière. Ce bonheur du sommeil retrouvé, de la vie qui reprend, cet apaisement, il les avait ressentis en retrouvant l'odeur de Sofia et ne les éprouvait pas de nouveau en la retrouvant, elle. Au moins, elle revenait avec son odeur.

Discrètement, il se rendit dans la chambre à coucher et débrancha le diffuseur, ce substitut de Sofia. On disait, dans son milieu professionnel, qu'une personne ne pouvait sentir sa propre odeur... Il préférait ne courir aucun risque. Surtout, ne pas avoir à inventer une explication. Évitement, prise deux. Sofi-B finit échouée parmi les déchets, phoque sur une banquise de styromousse, caché honteusement sous une pelure de banane et du marc de café. Advenant une récidive de la part de Sofia, la recette était archivée au labo.

Une fois le réaménagement terminé, ils mangèrent une salade de thon et d'avocat, à laquelle ils n'ajoutèrent pas de sel et si peu d'huile, devant une émission d'affaires publiques qu'ils appréciaient, se douchèrent sans trop gaspiller d'eau, lurent un peu et se mirent au lit. Comme avant. Comme si jamais le fil de leur vie n'avait été sectionné. Sofia aussi avait repris sa place. Joli boomerang humain au bois plus lisse, d'une essence plus rare que les autres. Comme avant, ils ne firent pas l'amour.

Laurent, dans son pyjama bleu sombre, s'étendit de son côté habituel du lit, passa un bras autour de Sofia qui lui tournait le dos, cuillère soutenant la bouchée. Il enfouit le nez dans son cou, sous sa chevelure et ferma les paupières.

En quelques minutes, Sofia s'endormit. Son souffle lent, profond, roucoulant, soulevait le bras qui l'entourait, emplissait la pièce de son chuintement. Laurent l'écouta longuement, songeur. N'aurait-il pas dû être heureux, tout simplement, que le sommeil de Sofia, auguste événement, spectacle intime, soit revenu se produire entre les quatre murs de sa chambre à coucher ? N'aurait-il pas dû sombrer dans ce sommeil dont jouissent ceux qui ont le cœur au chaud ?

Trois heures plus tard, il ne dormait toujours pas. Repu de questionnements, las d'attendre l'assoupissement, il soupirait plus fort que son amoureuse ne chuintait.

Ce n'est qu'après des dizaines de roulades gauche-droite, de numéros de danse horizontale frénétique et contemporaine que, enfouissant à nouveau le nez derrière l'oreille de sa douce, il comprit.

Sofia avait changé d'odeur.

14

Laurent pédala sur la distance qui séparait son appartement de l'Orphéon en mode « pilotage automatique ». Il se fit beaucoup klaxonner, traiter de quelques noms grossiers, et faillit se faire renverser à deux reprises. Sa tête était à la fois sous son casque et ailleurs. Qu'est-ce qui pouvait bien faire changer l'odeur d'une personne de façon aussi marquée ? Il avait fouillé le problème toute la nuit durant ; l'avait décousu, démonté, sans arriver à isoler une hypothèse satisfaisante. Sofia avait-elle modifié radicalement son alimentation pendant les semaines passées loin de lui ? Peu probable. Avait-elle choisi d'essayer un nouveau parfum, un nouvel antisudorifique, un shampoing différent ? La liste des potentialités avait été dressée, puis élaguée, un scénario à la fois, jusqu'à

ce qu'il n'en reste rien. Son nez, surtout, avait
réfuté plusieurs hypothèses. Le promenant sur
elle — dans son cou, sous ses aisselles, dans ses
cheveux, sur sa peau —, il y avait repéré le même
shampoing à la noix de coco, le même antisudorifique Brise du Printemps, les mêmes cosmétiques : crème anti-âge Réparides sur son visage,
lotion Jambes de Nymphe sur ses longues et
lisses gambettes, concentré Ultimate Repulp sur
sa poitrine. Tout y était. Mais quelque chose
manquait. Quoi ? L'éventualité qu'il se soit
trompé, que Sofi-B ait été une jumelle olfactive
non identique, lui semblait absolument impen-
sable. Risible, même. Son nez ne le trompait
jamais : Sofia avant son départ et Sofi-B présen-
taient très exactement le même sillage olfactif. Il
voulait bien être pendu si ce n'était pas le cas.

Il entra dans l'immeuble en oubliant de
prendre sa selle de vélo, salua distraitement
Rolland, le gardien de sécurité, qu'il aimait
bien. À n'importe quelle heure du jour ou de
la nuit, celui-ci était là, sentinelle fidèle au
poste. Ça avait quelque chose de rassurant.
Pour la première fois, Laurent se demanda si
ce vigile moustachu dormait parfois. Toujours
à son poste. Nuit et jour. Il lui poserait la question un autre jour. Sofi-B l'attendait, avec
toutes ses réponses olfactives.

Personne en vue au Café Clochette. Pas de Straz derrière le comptoir. Laurent frappa violemment la clochette éponyme du plat de la main. L'employé(e) émergea de l'arrière-boutique, l'air d'avoir été réveillé(e) et/ou interrompu(e) pendant qu'il/elle fumait un joint. Commander la même chose que d'habitude. Regarder Straz verser le café. Payer. N'utiliser que des adjectifs épicènes. Pencher pour l'option mâle, ce matin-là. Quarante secondes plus tard, Laurent entrait dans son labo.

— Wôôô. Je te demande pas comment se sont passées vos retrouvailles : t'as une tête horrible. Elle en redemandait, hein ? T'as pas dû dormir beaucoup, veinard.

Thibert prit un air rêveur, tandis qu'il déballait un caramel.

— Ahh, les réconciliations. Ça finit toujours au pieu, hyper intense, avec des cris et ton voisin qui cogne dans le mur... Ah Laurent ! Oui Laurent ! Encore Laurent ! Plus fort Laurent !

Sans prendre la peine de répondre à son collègue, Laurent lui annonça qu'il avait un projet solo pour la journée. Il marmonna une explication floue à laquelle Thibert ne porta pas la moindre attention, emporté dans son imitation vulgaire d'ébats n'ayant jamais eu lieu. Laurent extirpa la fiche-recette de Sofi-B de ses archives personnelles et quitta la pièce, sous les cris aigus et débridés de l'autre. Il recréa le produit en vingt minutes top chrono. Cinq de plus et il était en salle d'immersion, insérait l'odeur dans le diffuseur et prenait place dans le fauteuil d'inox qui trônait au centre de la pièce, prêt à mettre en pratique les techniques de humage qu'il maîtrisait mieux que tout autre. Laurent était LE nez numéro un d'Odosenss.

La salle constituait une bulle neutre, isolée, où l'expert était coupé de tout stimulus olfactif ou visuel susceptible de le déranger dans son analyse. L'ancienne odeur de Sofia, son odeur de femme assoupie, envahit la pièce et Laurent l'accueillit comme une vieille amie. Inspirer. Lire les effluves. Son cerveau tournait à grande vitesse. Il lui fallait maintenant définir le profil organoleptique de cette odeur qu'il avait copiée à l'intuition. Cela revenait à prendre une soupe improvisée la veille et à essayer d'en écrire la recette au millilitre près, sans que le goût en soit changé.

Spontanément, il détectait dans Sofi-B l'ensemble des subtilités du sillage actuel de Sofia. La différence tenait à un petit plus dans les notes les plus volatiles du produit qu'il avait lui-même créé. L'odeur humée la veille sur son amoureuse était contenue dans l'ancienne, mais avait perdu un élément. Un gâteau aux carottes revenu intact, mais sans son crémage blanc sucré. Toutefois, la nature de ce crémage disparu, de ce petit plus, lui était étrangère, difficile à décrire. C'était grossier et subtil à la fois, comme une tache nettoyée ayant laissé un cerne pâle. Il lui faudrait l'isoler, ce qui nécessiterait une analyse olfactométrique poussée au-delà des capacités humaines. Comme ça, au nez, il ne pouvait rien comprendre de plus. Or, la machine capable d'accomplir cette tâche délicate existait ; même qu'elle se trouvait dans la pièce à côté : l'Odoscan.

On ne s'en remettait pas spontanément à l'Odoscan, parce que celui-ci, extrêmement précis, relevait des centaines de notes indétectables pour le nez humain. Le pauvre chimiste se retrouvait alors submergé d'informations dont il ne savait que faire. Il fallait donc d'abord cerner, à l'odorat, les notes importantes d'une odeur à reproduire ou à déconstruire avant d'enfourner le produit dans la machine. Il devenait ensuite plus aisé de départager les données utiles du superflu. Épurer la recette, en quelque sorte. Laurent grimaça d'impatience en voyant deux éprouvettes, appartenant à d'autres équipes de chimistes, déjà dans la file d'attente du four, comme ils l'appelaient entre eux. Il ajouta Sofi-B à la queue, avec son code d'employé, et repartit vers le labo n° 3, conscient que le rapport mettrait des heures à revenir. Au moins, avant de terminer sa journée de travail, il saurait. Quelques heures encore, et son amoureuse ne serait plus qu'un grand livre ouvert.

Certains fouillaient les appels téléphoniques, les courriels ou les poches de leur douce moitié ; Laurent, lui, fouillait ses émanations. Et comme tous ces amoureux appréhensifs qui cherchaient en niant l'aspect répréhensible de leur perquisition, espérant mettre la main sur quelque chose qui justifierait leur espionnage, il se faisait croire que seuls son esprit scientifique et sa rigueur intellectuelle le guidaient dans sa quête. C'était le Laurent cartésien qui furetait — voyons ! —, pas le Laurent soupçonneux.

Il savait pourtant mieux que quiconque qu'il n'existait pas de jardin secret qui ne puisse être violé par l'Odoscan.

15

Sofia occupait un poste d'avocate au sein du cabinet Rainier, Germain, Villeneuve & Fandrich, le Rainier du groupe n'étant nul autre que son papa. Enfant unique devenue trop tôt la reine d'un foyer sans mère où l'on mangeait en faisant des *conference calls* avec Toronto, la jeune femme avait toujours baigné dans un univers adulte où ses caprices et ses besoins de fillette n'avaient pas leur place. L'aboutissant d'une telle éducation donnait Sofia : une femme adulte douce et sage, soucieuse de ne pas déranger, de ne dire que des phrases pertinentes, intéressantes, pleines d'esprit. Remplacer la mère et être à la hauteur du rôle, en quelque sorte. La fillette à son papa, attendant patiemment la fin de l'appel interurbain pour manifester son existence souriante, n'était jamais bien loin.

Elle ne pouvait pas le nier, il y avait plusieurs avantages à travailler pour son propre père, l'absence d'horaires n'en étant pas le moindre. Ainsi, à trente et un ans, alors que ses collègues du même âge finissaient de régler leurs dettes d'études et bossaient fort pour se tailler une place dans l'entreprise, elle était sans soucis financiers, installée dans un poste enviable, et parfaitement libre de son temps. Par choix, Sofia ne défendait qu'une cause à la fois, s'accordant souvent une pause après le règlement de chacune. Le mot courait qu'il n'y avait pas meilleur avocat dans toute la province, et ce rythme modéré n'y était sans doute pas étranger. Cela lui permettait de concentrer toute son attention sur cette cause unique qu'elle choisissait de défendre. Elle se donnait corps et âme, puis s'octroyait sans culpabilité le luxe d'une ou deux semaines d'oisiveté, les occupait à sculpter son corps, à jogger, à jardiner, à entretenir son réseau de connaissances personnelles et professionnelles, à faire du bénévolat ou les boutiques.

Ce vendredi-là était justement l'un de ces jours de grâce, un hiatus dans le parcours. C'était une chaude journée de juillet et Sofia tournait en rond dans l'appartement, incapable d'arrêter son choix sur une activité.

Elle avait envie de sport : il lui fallait se vider la
tête. Un cendrier. Débordant. Leurs récents
déboires, à Laurent et à elle, la troublaient au
plus haut point. Quitter Laurent, revenir, ter-
giverser. Il n'avait posé aucune question et elle
en remerciait Dieu, se sachant incapable de lui
parler des motifs de son départ pour ensuite
le convaincre que ceux-ci s'étaient évaporés.
Rien n'avait changé. Elle était revenue quand
même. L'esprit tout sauf en paix, mais incapable de faire autrement. Sa mère avait su
partir, pas elle.

Consultant son iPhone, elle conclut que la
température était trop élevée pour un jogging
et appela plutôt au centre de tennis privé dont
elle était membre depuis des années. Avec un
peu de chance, Mariana ou Olivier serait disponible pour une leçon, peut-être même pour
disputer un match en fin de journée, quand la
chaleur tomberait. Pas de chance. Aucun des
deux instructeurs n'était au club ce jour-là.
On lui proposa plutôt une séance avec un certain Juan Pedro Garcés, un Espagnol venu
donner des formations aux pros du club. Soit,
pourquoi pas ? Elle nota le rendez-vous dans
son agenda téléphonique.

Entrant sur le court n° 7 en fin de journée, elle le vit et sut tout de suite qu'il eût été

préférable de choisir le jogging. Malgré le risque d'évanouissement, malgré la chaleur extrême qui l'eût liquéfiée, qui l'eût fait fondre sur le bitume, littéralement. Une flaque de Sofia. Parce qu'en ce moment, il lui arrivait la même chose, sans que la météo ait rien à y voir.

Elle se ressaisit puis frappa de son mieux les balles envoyées par le jeune homme, écoutant ses conseils, livrés dans un français à l'accent chantant, tentant d'ajuster sa frappe en conséquence après chaque coup.

— Frappe dévant toi, dééévant... plousse dé côté, les pieds... oui... raquétte dans la poche pour démarrer lé révers... pas trop fort... jé veux qué la balle tombé dévant moi... allez ! Déplacément ! Tou dois arriver avant la balle !

Perfectionniste, soucieuse de plaire, Sofia frappait, laissant parfois échapper un petit cri rauque sous l'effort. Elle courait, plantait ses pieds dans le sol, tous les muscles de ses jambes contractés, accompagnant ses coups d'un mouvement impliquant l'ensemble du torse, comme on le lui avait appris. La sueur non seulement coulait sur ses tempes et entre ses seins, mais la recouvrait tout entière, des épaules au creux des coudes jusqu'à ses cuisses où perlaient de minuscules gouttelettes dans le soleil de fin d'après-midi.

— Attends, ton mouvément né sé termine pas au bon endroit. Tou arrêtes trop vite. Il faut accompagner la balle après l'avoir frappée, poursuivré l'arc dé cercle jusqu'en haut, au-déssus dé ton épaule. Régarde...

Et il traversa. Vint de son côté du filet. D'abord il fit le geste lui-même, trois pas devant elle, lui demandant de l'imiter, puis il déposa sa raquette, vint se placer derrière elle, empoigna ses bras pour leur intimer le bon angle. Digne d'un film de filles. D'un mauvais, en plus.

Malgré tout le cliché de la situation, Sofia ne put s'en empêcher. Elle le fit : elle cambra les reins. Un mouvement léger, léger, presque indécelable. Un frottement lilliputien de son bassin contre le short blanc en toile super-respirante-méga-hi-tech. Le jeune homme s'immobilisa.

Quant elle le vit jeter quelques regards aux alentours, sentant la toile du short se tendre, le cœur de Sofia décolla pour un sprint. Si ses glandes n'avaient pas déjà tout donné, elle se serait mise à transpirer encore davantage.

Et, pendant que Laurent, à l'autre bout de la ville, recevait le rapport de l'Odoscan, pendant qu'il découvrait avec horreur la teneur de cette composante étrangère enchevêtrée au

parfum de sa Sofia, celle-ci, jupe de tennis bien
haute sur ses fesses lisses, doigts agrippés à la
clôture Frost verte entourant le court, se faisait
prendre par-derrière par le très professionnel
Juan Pedro Garcés, qui n'avait rien à envier au
manche de sa raquette onéreuse.

16

Laurent restait là, figé, bouche ouverte, tel un poisson hors de l'eau, gisant sur le plancher d'une barque, attendant la fin. Le rapport était clair : Sofi-B n'était pas l'odeur d'une seule personne. L'élément qui avait disparu depuis le retour de Sofia était formé, majoritairement, de sébum masculin, de sécrétions sexuelles mâles et de cosmétiques commerciaux pour homme, reconnaissables à leurs essences plus fortes en notes boisées, en écorces et en musc animal.

Une odeur humaine mâle. L'odeur d'un autre homme.

Sofia s'était frottée à un autre homme avec assez d'intensité pour en garder sur elle l'odeur. Elle en avait été enduite assez souvent pour que son amoureux au nez aiguisé ne puisse imaginer son sillage sans cet ajout. Avait-elle justement

misé sur la constance pour berner ce Nez qui
dormait à ses côtés ou avait-elle souhaité en
secret qu'il sente ? L'avait-elle sous-estimé ?
Elle dont le jugement implacable était tombé
très tôt, comme un couperet, sur son métier,
peu sérieux à ses yeux, qui n'en parlait en public
qu'avec un léger pincement des lèvres ou un
sourire vaguement embarrassé. *Mon homme
fabrique des odeurs (petit rire). Ah oui, le vôtre est chirurgien
(petit rire aigu) ?* Ainsi, elle avait osé lui mettre ces
exhalaisons étrangères sous le nez chaque soir,
sans vergogne, jusqu'à la prochaine douche,
qu'elle prenait toujours le matin. Et même
après la douche restait le refuge de ses cheveux.
Ce parfum, il avait dû le respirer aussi dans sa
longue chevelure soyeuse, qu'elle ne lavait pas
tous les jours de peur de l'abîmer, où Laurent
aimait enfouir le nez. Pendant combien de
jours, de semaines, de mois avait-il dû la sentir
pour si bien s'en souvenir ?

Sofia le trompait donc depuis un moment
avant de le quitter et lui, stupide, aveugle,
avait créé Sofi-B à partir de ce couple d'amants,
de leurs deux effluves mélangés. Tous deux
réunis en un parfum dans lequel il s'était
consolé, mariés olfactivement avec sa bénédic-
tion d'homme trompé.

Il s'était vautré avec amour dans l'odeur de son cocufiage.

Laurent fut pris de nausée.

17

D'abord, faire revenir l'ail et le piment peco-
rino dans une bonne huile d'olive extra-
vierge, pressée à froid. Ajouter les tomates (italiennes), puis les olives (vertes et noires),
suivies des caprons et des câpres. Le tout servi
sur un spaghetti cuit à la perfection (*al dente,*
lancer sur le mur pour vérifier) avec beaucoup
de poivre grossièrement moulu et de parmesan
frais râpé. C'était la recette officielle ; Laurent
y ajouta des anchois et, pour lui, faire preuve
de ce genre d'initiative, c'était complètement
fou.

En sortant de l'Orphéon, il avait erré sur le
boulevard sans regarder le fleuve, sans autre
but que celui d'assimiler l'information qu'il
venait de recevoir de plein fouet, mais se dé-
couvrant dénué des ressources intérieures pour

y arriver. Sa vie venait de lui échapper pour la seconde fois, répandue sur le sol en une flaque huileuse et il la contemplait, se demandant comment la remettre en pot. Il eut, sur le coup, une impulsion violente dirigée contre Sofia : la jeter, comme elle l'avait jeté, la remplacer par Sofi-B, bien enfoncée dans la prise électrique de la chambre à coucher, diffusant son odeur doucereuse. *Son odeur apaisante de stupre, tu veux dire ? Son réconfortant arôme de femme infidèle, peinturée de sécrétions diverses ?* Laurent s'était calmé. Depuis sa plus tendre enfance, il avait vécu comme ces immenses troncs d'arbres descendant le fleuve, attendant la poussée d'un draveur ou la dent d'un castor pour varier leur trajectoire, se laissant simplement porter par le courant. À l'exception de son choix de carrière, tout avait toujours été décidé pour lui. Si la situation actuelle était aussi dérangeante, c'est qu'elle exigeait de lui une trop grande capacité décisionnelle, trop d'autonomie. Personne ne pouvait lui dire s'il devait ou non accepter la trahison, personne pour lui dicter sa réaction. Laurent oscillait entre la colère et une envie forte que les choses continuent à couler, sans obstacle, sans surprise. Pour cette raison, en moins d'une heure, la chose à faire s'imposa comme une évidence : il ne quitterait pas Sofia, ne

l'affronterait même pas. Il lui faudrait trouver
le moyen d'éponger le dégât, d'apprendre à
composer avec le cerne, à vivre autour. Ravaler. Partir, il ne pouvait pas. Retourner dans
le tunnel ? Dans une vie meublée d'absences,
petites et grandes, où chaque objet existait
doublement dans le vide créé par sa dispari-
tion ? Non. Il se jugeait pathétique, dépen-
dant, méprisable, mais vivait relativement bien
avec cet état de fait. Mieux valait être deux
cloportes qu'un papillon seul. Point.

Laurent avait eu besoin de croire, à un certain moment, que Sofi-B saurait le combler à
elle seule, qu'il pouvait se passer du reste, mais
une odeur ne prenait pas de décisions. Il lui
fallait aussi la poigne, l'autorité rassurante de
celle qui sait ce qu'il faut faire. Une présence
maternante. Quitte à rouler son orgueil en
boule et à se l'enfoncer dans l'orifice de son
choix. Il se consolait en se répétant qu'elle
était revenue vers lui dénuée de cette horrible
odeur d'homme, qu'il regrettait d'avoir tra-
quée. Elle avait dû le quitter pour aller faire le
ménage dans cette sale histoire. C'était sa
conclusion. Elle était revenue. Sans. Point.

Au hasard de ses pieds, qu'il regardait se
relayer pour battre le trottoir, Laurent avait
fini par entrer dans une librairie. Réflexe

d'intellectuel convaincu que les solutions aux problèmes se trouvent toujours dans les livres. Son errance l'avait toutefois amené aux confins d'une section qu'il n'avait jamais visitée auparavant : les livres de cuisine. De toute évidence, il y avait effervescence de ce côté et le genre semblait s'être renouvelé depuis les grosses briques de Pol Martin de sa mère. Un bouquin, dans le lot, l'avait interpellé : *Le cuisinier rebelle*[3]. Il l'avait soulevé, contemplé. Quelque chose dans la couverture de l'ouvrage l'avait attristé. Sofia s'ennuyait avec lui ; aurait-elle jugé sa vie plus trépidante entre les bras tatoués de ce chef chauve, brandissant sa cuillère de bois avec un regard démoniaque ? Il avait acheté le livre. Être rebelle, être fou : les deux lui semblaient assez proches.

Laurent posa le large bol creux devant Sofia dont les yeux pétillaient face à cette initiative qui avait mis plus de dix ans à naître. Son homme avait choisi de cuisiner Les Putains de Pâtes, page cinquante-quatre. Un classique spaghetti *alla puttanesca,* mais dont le nom lui avait semblé des plus appropriés. Douce et inoffensive vengeance, immature revanche par les

3.   SICOTTE, Antoine, *Le cuisinier rebelle,* Montréal, Éditions Cardinal, 2009.

mots d'un homme justement bloqué par son manque de mots, inhibé par son incapacité à communiquer. C'était là le geste le plus méchant dont Laurent fut capable envers son amoureuse adultère : la traiter de putain à travers un plat cuisiné pour elle avec amour, enfouir son insulte dans la sauce, l'ensevelir sous une pluie d'olives tranchées. Lancer une tomate sur un tank.

L'ail embaumait l'appartement d'une effluence qui piquait les yeux et défiait l'estomac, provoquant des contractions de faim irrépressible. Dans ce nuage olfactif, en se penchant vers elle pour lui offrir du parmesan râpé, il détecta à peine son odeur, noyée dans l'air sursaturé. Il n'y avait de toute façon rien d'autre à sentir que fraîcheur et propreté. Ses cheveux humides tombaient sur ses épaules ; elle avait joué au tennis sous la chaleur un peu plus tôt et sortait tout juste de la douche.

Elle adora Les Putains de Pâtes.

18

Laurent avait mal. Il souffrait par dépit, de son choix qui n'en était pas un. Décider qu'il ne pouvait quitter Sofia ne signifiait pas qu'il avait la capacité d'oublier, de passer l'éponge comme si rien ne s'était produit. Il savait. Et quand on sait, on sait. Pas de retour en arrière possible. Opter pour le moindre mal : rester. Il ne pouvait s'imaginer entier sans cette femme à ses côtés ; une impression de vide, de chute. Elle avait toujours été là. Ils étaient sortis de l'enfance main dans la main et s'étaient fabriqués adultes ensemble, gamins jouant avec des Lego, sans comprendre que chaque pièce serait difficile à retirer de l'assemblage une fois imbriquée. Des constructions irréversibles qui avaient fait naître, un peu par accident, deux êtres humains. Sofia. Laurent.

S'il se disait amoureux de cette femme, il
éprouvait aussi un féroce attachement pour
l'image de leur couple. Le portrait était enviable : deux jeunes professionnels accomplis,
aisés financièrement, séduisants. Il ne laisse-
rait pas Sofia déchirer ce beau dessin, cette
jolie façade toute lisse qui lui donnait du pres-
tige. Comment l'enchaîner à lui, pour être sûr
qu'elle ne repartirait plus ? Comment s'assurer qu'elle resterait sienne, jolie moitié à ses
côtés ? Lors de ses tergiversations nocturnes,
dans sa tête d'homme obtus sur les questions
de sentiments, il ne situait pas la menace chez
Sofia, ne voyait de danger que dans cette odeur
infecte qu'il avait trouvée sur elle. L'Autre. S'il
réussissait à la tenir à distance, tout irait pour
le mieux.

Ce fut le raisonnement qui entraîna les
prélèvements.

Il commença le soir des pâtes, récoltant la
sueur à même la jupette de tennis de Sofia,
celle-ci s'étant douchée avant son arrivée.
Chacune des nuits qui suivirent, il préleva sur
elle, directement. Laurent attendait que sa belle
s'endorme, puis il patientait encore, pour que
ce sommeil s'approfondisse, que la dormeuse
plonge dans les abysses de son inconscient.
Alors il passait à l'action : utilisant de petits

autocollants pour relever le filtre gras de la
peau, coupant un ou deux cheveux, grattant
légèrement sous les ongles. Dans son labo, il y
avait consacré un tiroir entier, resté vide
jusque-là. S'y alignaient déjà six fioles, datées
et identifiées d'une étiquette rouge qui signifiait « négatif ». Sa méthode était simple : un
seul test, comparatif. Son nez l'avait trahi une
fois, il ne s'en servirait plus pour ce qui concernait Sofia. D'ailleurs, chaque fois que l'odeur de
son amoureuse faisait son chemin jusqu'à
son nez, il avait l'impression qu'elle était différente de celle du jour précédent. Exit ce nez
qui avait échoué une fois, ce nez subjectif, in-
fluencé par ses suspicions. Pour une précision
accrue, il avait isolé l'odeur masculine présente
dans Sofi-B et soumettait chaque jour son
prélèvement à un test comparatif dans l'Odoscan. La machine prenait du temps pour produire un rapport d'analyse complet, mais
lorsqu'on n'utilisait que la fonction « nez élec-
tronique/*e-nose* », c'était du gâteau. De type
McCain Deep'n Delicious. Du rapide. Le *e-nose*
savait comparer un prélèvement donné avec un
échantillon de référence, pour ensuite allumer
un voyant vert (similitude) ou rouge (différence) en guise de réponse. Le tout ne lui demandait que trois minutes chaque matin, juste

le temps d'aller se brosser les dents pour éviter que le café infect du Café Clochette ne fausse son odorat. Dès que le petit point rouge était apposé sur la fiole, Laurent pouvait vaquer à ses occupations quotidiennes et même vivre une exccllente journée. L'Autre n'était plus dans l'odeur de Sofia : celle-ci l'avait trompé, mais c'était du passé. Ça ne se produisait plus, il en avait la preuve. La Science avec un grand S le lui confirmait chaque jour, avec toute l'assurance de sa fiable objectivité. Il retrouvait confiance, sifflotait même, parfois. Tant qu'il garderait les effluves de Sofia à l'œil, tout irait bien.

Peu après la pause repas, que Laurent avait passée penché sur une fragrance résineuse de forêt de conifères, destinée à un spa des Laurentides, Thibert entra dans le labo un peu essoufflé, le front moite et le cheveu en guerre.

— Une p'tite virée au deuxième ?

Le sourire du Français, large comme un fleuve, vaguement chevalin, ne mentait pas. On aurait vu un tel sourire sur Laurent, on aurait tout de suite pensé à un jogging du midi ou à un circuit de vélo ; mais le physique de Thibert affirmait à sa place son statut de non-sportif. Parallèlement, ses yeux brillants et son pas sautillant chantaient « deuxième étage » ;

une enseigne au néon. Et c'était le seul moment où il ne grignotait rien. L'effet durait des heures, parfois jusqu'au lendemain matin.

Laurent faisait partie des rares personnes chez Odosenss à savoir ce qui se tramait au deuxième étage, chez Bleu Communication. Sous des dehors d'agence en organisation événementielle respectable, la boîte recelait en fait un sympathique lupanar unique en son genre. On y trouvait de vraies femmes, pas des *bimbos* décolorées, et l'endroit était ouvert, à l'encontre de tous les codes de ce genre d'établissement, entre neuf heures et cinq heures. Thibert, dont l'horaire de travail couvrait la même période, ne rechignait pas à enfiler une barre-repas ou un *shake* protéiné de temps à autre, afin d'aller profiter des joies du deuxième. Et il délaissait alors les bonbons, inexplicablement. Laurent n'aurait su dire si c'était la pute qui constituait un excellent substitut aux sucreries ou le contraire. Le même espace, chez Thibert, pouvait être comblé par la chair ou le sucre, sans préséance de l'un sur l'autre.

— Cette Agathe, elle est in-cro-yable... Quelle meuf! Elle veut toujours laisser la lumière allumée. J'crois qu'elle adore voir mon corps.

— Trop d'informations.

— Bon, on est sur quoi cet aprem ? Tu crois qu'on sera sur le gros super giga projet secret ?

— Projet secret ?

— T'es à côté de tes pompes, Pif, ou quoi ? Tout le bureau en parle ! C'est énorme. Un truc de calibre international pour toute une ligne de produits. Personne sait qui est le client, mais paraît que le budget est dans les six chiffres. C'est sûr qu'on va l'avoir ; c'est toi le meilleur ici. Top niveau.

— Wow. Ça fait un bail qu'on a rien eu d'aussi gros dans la place…

Laurent en était à tenter de se figurer quel type d'entreprise pouvait se permettre un tel investissement quand Élyse frappa trois coups mous sur le cadre de la porte, déjà ouverte. Sans attendre d'y être invitée, elle entra. C'est avec un regard entendu et les sourcils exagérément relevés qu'elle lui tendit un disque compact.

— J'ai su que ta Sofia était revenue (œillade sans subtilité). J'me suis dit qu'tu voudrais peut-être ravoir ça…

Laurent comprit qu'elle lui remettait l'enregistrement de la caméra de surveillance du labo n° 3, ce superbe court métrage, à apprécier avec un bol de maïs soufflé triple beurre, d'un *geek* faisant l'étoile sur le plancher, tandis qu'une magnifique collègue blonde s'active sur son sexe en criant des insanités en anglais.

— Y a pas d'autres copies (haussement de sourcils digne du troisième lifting d'une sexagénaire).

Élyse, les joues roses, sanguines, termina son grand numéro d'empathie par un sourire et un plissement d'yeux complices. Elle y ajouta un petit coup de poing copain-copain sur l'épaule. Instantanément, il la suspecta d'avoir finalement regardé ce film, plus de fois que nécessaire.

— Merci, Élyse, c'est gentil à vous. J'apprécie.

Il avait fait exprès de la vouvoyer, pour qu'elle se sente vieille, alors qu'elle n'avait que cinq ou six ans de plus que lui, pour néantiser cette intimité qu'elle insinuait à grand renfort d'expressions faciales. Elle sortit, plus déçue qu'outrée, ses fesses rondes étirant sa jupe droite à en rendre saillants tous les fils de la couture verticale. Élyse s'habillait toujours deux tailles en dessous de la sienne, comme inconsciente de son corps, obligeant le reste du monde à en être un peu trop conscient. Ou peut-être le faisait-elle sciemment, se plaisant à ce que ce corps déborde, prenne ses aises, expose sa chair, joue avec les limites de la décence en milieu de travail ? Intentionnel ou pas, le résultat était le même : elle imposait à ses collègues tantôt la vision d'un porte-jarretelles entrevu par l'ouverture d'une jupe fendue trop haut, tantôt le double renflement démesuré et étranglé de ses seins, difficilement contenus par un bouton de chemisier menaçant de tuer quelqu'un, tantôt l'inélégance d'un *muffin top* bien cuit. Laurent avait horreur de ce spectacle pour lequel il n'avait pas acheté de billets. Thibert adorait.

Laurent appuya fort de ses pouces et brisa le disque au-dessus de la corbeille, provoquant une pluie d'éclats diamant. *Crac.* Effacer le mauvais rêve.

En ce qui le concernait, son pénis et Lisabeth Janson ne s'étaient jamais rencontrés.

19

Dès que Lisabeth avait eu vent de l'arrivée d'un client d'envergure chez Odosenss, elle s'était mise en mode offensif. Sachant pertinemment que M. Elliott songerait en premier lieu à Laurent, il lui fallait court-circuiter son patron, le prendre de vitesse et profiter de sa naïveté. Toutefois, le seul moyen de tirer la couverture de son côté restait d'être bien informée. Le savoir était toujours la clé dans une entreprise et permettait à tout coup de se positionner favorablement. Lisabeth excellait à ce petit jeu. Développer et entretenir son réseau social et professionnel, avoir des amis et des oreilles partout, être invitée dans les événements stratégiques, faire semblant d'aimer des gens utiles, tout cela compensait largement son nez médiocre.

Bref, elle mit peu de temps avant de jouer de ses relations : un ancien amant bien placé dans l'entreprise, une amitié intéressée avec l'ennuyante adjointe administrative de M. Elliott et deux ou trois coups de fil à des amis journalistes pour réduire la liste des clients potentiels. *Networking, baby, networking.* En quelques jours, elle avait en main l'information recherchée. Bingo.

De la lingerie.

Le nouveau client n'était nul autre que Desnuda, un fabricant de lingerie haut de gamme rivalisant avec les Agent Provocateur et Aubade de ce monde. Plus luxueux que ceux du géant Victoria's Secret, les sous-vêtements de Desnuda se démarquaient par leur style rétro très féminin et leur qualité de fabrication inégalée. Toutes les adeptes de la marque affirmaient que c'était la seule lingerie à la fois confortable et offrant un support appréciable, permettant ainsi à la femme qui la portait d'être aussi belle avec ses vêtements que sans. Bref, une lingerie sur laquelle les vêtements tombaient bien et qui en mettait plein la vue une fois ceux-ci envolés. Les hommes ne connaissaient rien à ces choses-là, mais toute femme savait que la combinaison des deux était chose rare. Desnuda était la lingerie qui permettait d'improviser, de se déshabiller lorsque ce n'était pas prévu. Desnuda n'était pas une mise en scène planifiée, comme bien d'autres lingeries qu'aucune femme n'aurait eu l'idée de porter toute la journée sous ses habits. Lisabeth faisait d'ailleurs partie des adeptes de la marque et ne manquait pas une occasion d'amputer sa carte de crédit de quelques centaines de dollars pour acquérir un ou deux ensembles.

Dès qu'elle apprit l'identité de ce nouveau client, le sentiment que le projet lui revenait de plein droit s'ajouta à la simple ambition professionnelle. Que pourrait bien faire Laurent d'un produit aussi charnel, aussi sensuel, lui qui semblait déconnecté de son propre corps ? Lisabeth tenait avec elle-même de longs débats silencieux, convainquait des interlocuteurs invisibles qu'elle était celle qui pouvait relever ce défi, elle qui était femme et qui n'avait rien perdu de sa sensualité. *Note to self : le fait que Laurent fasse l'étoile durant la baise n'est PAS un argument utilisable auprès de M. Elliott.*

Une odeur signature pour une collection complète de lingerie, quoi de plus excitant comme projet ? Quoi de plus approprié pour elle ? On aurait dit qu'enfin son choix de carrière faisait sens, un sens qu'elle n'avait pas su trouver dans la création d'odeurs de beignets

ou de cuir neuf. Il lui fallait ce client. Elle
ferait ce qu'il faudrait pour l'obtenir. Elle désirait surtout, sans vouloir s'en souvenir
dans ses constructions mentales élusives, que
Laurent ne l'ait pas.

En priorité, il fallait s'assurer d'occuper
celui-ci sur autre chose. Quelque chose d'assez
gros pour justifier qu'on n'attribue pas le meilleur chimiste d'Odosenss au plus important
mandat de l'histoire de l'entreprise. Ensuite,
faire valoir sa propre candidature comme le
choix logique, comme un alliage parfait.

Rien là d'impossible, à première vue, pour
Mᵐᵉ Janson et sa détermination à toute épreuve.
Et avec l'épais crémage de haine qui recouvrait
sa relation avec M. Piffeteau, elle saurait même
trouver un certain plaisir à l'opération.

20

Un peu plus de dix jours avaient passé depuis le retour de Sofia. Elle avait réintégré le couple comme on enfile une chaussette de laine rêche par une nuit d'hiver. Tout de même, elle fournissait de considérables efforts, s'appliquant à être la meilleure des amoureuses. La dévotion comme baume sur la culpabilité. Laurent, levé un peu tard ce matin-là, avait dû partir en vitesse et sauter sur son vélo le ventre vide, sans rien emporter pour son repas du midi. Cuisiner un lunch pour son homme, quelle noble et archaïque façon de lui montrer son amour. Et ça occuperait son avant-midi. Elle lui concocta donc une boîte-repas digne d'un chef. *Et vlan, di Stasio !*

Toutefois, imaginer un repas qui plairait autant aux papilles de Laurent qu'aux dirigeants des Laboratoires Odosenss n'était pas une mince affaire. Une foule d'aliments odorants étaient proscrits ; trop nombreux pour les retenir tous. La feuille des règlements avait dû fusionner à la porte du frigo conjugal tant elle y était aimantée depuis longtemps. Ail : illégal. Fromage fort : hautement illégal. Oignons, œufs à la coque, échalotes : prohibés. Poisson cuit ou en conserve : probablement passible de renvoi et/ou de la peine de mort. Et la liste continuait gaiement. Les quelques options restantes, si vous aviez beaucoup, beaucoup d'imagination, devaient pouvoir se manger froides (la cuisson au four à micro-ondes amplifiant les odeurs) et être le plus digestes possible, afin que les émanations de leurs estomacs (ou autre partie de leur anatomie) n'empêchent pas les chimistes de faire bon usage de leur nez. Les employés, excédés, s'étaient soulevés deux ans auparavant, avaient milité en faveur d'une cuisine à ventilation indépendante. La direction avait argué que le problème ne serait que partiellement résolu puisque leurs vêtements, leurs cheveux et leur haleine ne seraient pas épargnés par un tel dispositif. Pour montrer qu'elle était néanmoins de bonne foi, elle leur avait accordé la mise sur pied d'un service de traiteur. Celui-ci offrait chaque jour à prix raisonnable une option de repas réglementaire, qui, selon Laurent, présentait une admirable constance dans sa fadeur. À côté, le Café Clochette faisait figure d'épicerie fine pour gourmets. Dans les meilleurs jours, quand Joe le Traiteur (ça ne s'inventait pas) était en feu, on pouvait espérer du riz blanc au tofu blanc, des biscottes et des crudités. Laurent avait pris l'habitude d'emporter avec lui un sandwich ou une salade peu assaisonnée. Ça lui convenait. En tout cas, il ne s'en plaignait pas.

Sofia entreprit donc de rouler elle-même des sushis aux ingrédients patiemment choisis : un premier rouleau maki aux prunes umeboshi avec des feuilles de shiso et un second, avec du thon cru trop frais pour dégager la moindre odeur et de fines lamelles de concombre et d'avocat. Elle avait même concocté de ses blanches mains une onctueuse mayonnaise épicée d'un beau rose-orangé. La boîte-repas avait été garnie de quelques accompagnements thématiques : salade d'algues fraîches, cannette de *buko juice* philippin et pouding au riz avec cannelle et raisins en guise de dessert. En somme, une manifestation de créativité et d'amour comestible dont Sofia n'était pas peu fière.

Lorsqu'elle entra dans l'Orphéon, les têtes se tournèrent une à une, dans la file du Café

Clochette, pour la suivre du regard tandis qu'elle passait devant le poste du gardien. Celui-ci la gratifia d'un large sourire et d'une plaisanterie d'ordre météorologique dont elle rit pour lui faire plaisir, lui adressant un petit signe gracieux de la main avant de monter dans l'ascenseur.

Au troisième étage, les portes s'ouvrirent sur l'accueil des Laboratoires Odosenss où trônait la jeune réceptionniste rencontrée lors de sa visite précédente. *Pas encore virée, celle-là ?* se demanda l'avocate avant de lui offrir son sourire (éclatant de blancheur) le plus sincère. L'autre, aux prises avec un importun, l'ignora superbement, tout en continuant d'entortiller une mèche de cheveux autour de son index. Sa mâchoire pendait selon un angle bizarre, comme désarçonnée par l'absence d'une gomme à mâcher. Être polie et professionnelle semblait lui demander un effort laborieux au résultat approximatif.

— Je suis désolée, mais vous êtes pas à la bonne place, monsieur.

Le petit homme ventru, l'air timide, habillé proprement, se tordait les mains compulsivement. Son visage était rouge et des gouttelettes commençaient à se former à la racine de ses cheveux.

— Ben là, moi, j'ai rendez-vous avec Inès...
Ça prend un mot de passe, c'est ça ? J'suis sûr
qu'on m'en a pas donné...

— Monsieur, c'est quoi le nom de l'entreprise que vous cherchez ?

Le pauvre homme se mit à transpirer davantage.

— Je sais plus... Ça avait un nom compliqué,
me semble...

— Vous voyez la pancarte, là ? Ça dit : Laboratoires Odosenss. À moins que ce soit ça votre
nom compliqué, vous vous êtes trompé de
place. Et y a aucune Inès dans la liste de notre
personnel. Vous devriez peut-être revérifier
votre adresse ?

L'impatience perçait dans le ton aigu de la
jeune femme. L'homme baissa les yeux sur le
bout de papier chiffonné et humide qu'il tri-
turait, marmonna des excuses inaudibles et se
dirigea vers les ascenseurs à contrecœur. Au
passage, il leva les yeux vers Sofia et ceux-ci
s'emplirent d'espoir.

— Ça serait pas vous, Inès, madame ? lui
glissa-t-il tout bas.

Sofia secoua la tête, l'air navré. La réceptionniste soupira.

— Gang de perdus. C'est le troisième depuis
que je travaille ici..., lâcha-t-elle avec humeur

dès que les portes de l'ascenseur se furent re-
fermées. Puis elle se tut brusquement et se redressa sur sa chaise.

Un homme, du même gabarit que celui qui
venait de s'éclipser, traversait la réception au
petit trot.

— Bonjour, monsieur Elliott! minauda-
t-elle, transfigurée.

— Bonjour-jeune-fille-si-la-situation-
que-vous-décrivez-se-reproduit-envoyez-les-
clients-égarés-au-deuxième-étage. L'agence-
Bleu-Communication-fait-souvent-des-
appels-de-casting-il-y-a-de-fortes-chances-
pour-que-ce-soit-ce-que-ce-monsieur-
cherchait. (Inspiration de marathonien épuisé
qui s'évanouit sur la ligne d'arrivée.)

Puis il disparut, les joues roses et l'œil énig-
matique. Sofia tenta de dissimuler le sourire qui
lui montait aux lèvres. La réceptionniste, morti-
fiée, eut un instant de flottement, honteuse d'avoir
été surprise par le grand patron en train de se
plaindre. Puis elle se ressaisit et se tourna vers
Sofia, lui servant un regard soutenu, légèrement
agressif, censé signifier : « Et vous, vous voulez
quoi ? » Sofia demanda poliment à voir Laurent.

— Désolée, M. Piffeteau, y'est en *briefing* pour
le moment. Voulez-vous l'attendre ou lui laisser
un message ?

— Savez-vous combien de temps M. Piffeteau risque d'être pris ?

— Bin… D'habitude, les *briefings* créatifs, ça
dure au moins une heure pis ils viennent juste
de commencer.

La jeune femme avait étiré le *s* final du mot
briefings, en faisant un *z* inélégant, long et vibrant,
semblant tirer un intense plaisir de sa pronon-
ciation à l'anglaise. Sa mâchoire en avait même
oublié de se décrocher vers la gauche un instant. Sofia laissa la boîte-repas à l'attention de
Laurent, y glissa un court mot d'amour rédigé
sur un Post-it et précisa à la réceptionniste que
le paquet devait être réfrigéré dans les plus
brefs délais. Déçue de n'avoir pu offrir son
présent elle-même, vaguement inquiète de
l'abandonner entre les mains — manucurées aux
couleurs de l'arc-en-ciel, avec de petits dia-
mants collés sur les ongles — de la mâcheuse de
gomme en sevrage, elle se retourna, résignée,
vers l'ascenseur. Elle sentit le regard de l'adolescente — toujours assise, le paquet toujours
posé sur son bureau — dans son dos.

Juste au moment où les portes de la cabine
d'ascenseur se refermaient sur elle, une main aux
longs doigts fins les bloqua et Thibert entra,
fébrile, les yeux au sol, l'air ailleurs. Il appuya
sur le bouton du deuxième étage deux fois,

coup sur coup, et eut un mouvement de recul en reconnaissant la copine de son collègue.

— Sofia !?

La minette de l'accueil, maussade, en manque de Juicy Fruit (la renversante) daigna enfin se lever. Elle prit le paquet de Sofia et resta là un instant, la posture molle, l'aura remplie de je-m'en-foutisme, à regarder Sofia et Thibert se faire la bise, tandis que les portes se refermaient sur eux.

21

Louis Corax, unique propriétaire de l'Orphéon, en habitait le cinquième et dernier étage ; un superbe penthouse que le reste des occupants de l'immeuble appelaient entre eux « le Loft du Boss ». C'était dans cet antre quasi mythique que Lisabeth aspirait à être introduite en ce moment. Mais impossible d'y monter sans s'annoncer. Elle avait donc gagné le rez-de-chaussée et piétinait devant l'interphone, indécise. Elle hésitait, sachant que sa visite à l'improviste déplairait à Louis, lui qui avait vécu les dernières années en reclus. C'était cela, ou téléphoner pour prévenir et courir le risque d'un refus d'audience. Ils s'étaient croisés dans l'ascenseur, deux semaines plus tôt, et Lisabeth ne s'était pas montrée particulièrement chaleureuse. Un peu hautaine, tout juste polie. Maintenant qu'elle avait besoin de son aide, elle s'en mordait les doigts. *Note to self : ne plus faire d'attitude aux puissants de ce monde. Bad career move.*

Un an auparavant, âgé d'à peine trente-trois ans, Louis Corax avait remporté le gros lot à la loterie. Un bon pourcentage de Québécois en rêvaient la nuit, une pellicule de sueur au front, plusieurs autres trimaient dur dans un travail qu'ils détestaient, ne fantasmant plus que sur cette improbable porte de sortie. Or, lui s'était retrouvé en possession d'un billet par hasard, parce qu'il voulait utiliser sa carte de crédit et que son achat n'atteignait pas les cinq dollars minimum requis. Gagner sans l'avoir réellement désiré, alors que des millions de propriétaires de billets priaient, les mains jointes, serrées sur leur espoir : quelle ironie de la vie. L'emploi de postier avait été largué et Louis avait commencé à cultiver sa solitude avec passion, de la culture en serre. Avec beaucoup d'engrais. Il voyageait abondamment, mais sortait peu de chez lui lorsqu'il était au pays. Lisabeth, donc, était là à user le sol sous ses pieds à force de surplace, remplie de l'espoir qu'il s'y trouvait peut-être en ce moment.

Prenant son courage d'une seule main, tremblante de surcroît, elle appuya. L'interphone grésilla.

— Oui bonjour ? C'est qui ?

— Louis ? C'est Lisabeth. Lisabeth Janson...

Il y eut quelques secondes de crépitement, vide de mots, durant lesquelles il ne sembla pas vouloir lâcher le bouton de l'interphone. Elle l'imagina, debout, perplexe, l'index en l'air ; se demanda s'il l'avait oubliée ou s'il grimaçait en supputant ses chances de l'évincer.

— Monte.

Elle monta.

Dès qu'elle mit un pied hors de l'ascenseur, la porte s'ouvrit, comme s'il avait attendu, l'œil collé au judas, la main triturant la poignée.

Lisabeth fit quelques pas mal assurés à l'intérieur du loft. Beau, moderne, grand, mais pas chaleureux. Tandis que Louis refermait derrière eux, elle réprima un léger frisson de nervosité contenue. Après être descendue au rez-de-chaussée avec confiance, elle avait failli se dégonfler devant l'interphone et, maintenant, face à lui, le sentiment d'être une nymphette en entrevue d'embauche était tenace.

Bien qu'elle l'ait sporadiquement croisé dans l'Orphéon, elle devait reconnaître qu'elle lui avait accordé peu d'attention. Elle avait l'impression de le regarder, ou plutôt de le voir, pour la première fois depuis cette époque insouciante où ils buvaient des pintes ensemble.

Physiquement, il n'avait pas tellement changé : grand, brun, assez mince, lunettes lui donnant un air sérieux, cheveux en broussaille rééquilibrant le tout. Il était vêtu sobrement, d'un jean et d'une chemise blanche. Lisabeth nota tout de même au passage la qualité et la coupe impeccable du haut, ainsi que la marque du bas. Et tandis que cet homme, sorti tout droit d'une autre vie, s'avançait vers elle, le sourire oblique, pieds nus, dans un jean à six cents dollars, tandis qu'elle le trouvait moins beau que dans son souvenir, elle tentait de mettre le doigt sur ce qui avait changé chez lui. *Les millions, sans doute.*

— Lisabeth… Ça fait longtemps. Je m'attendais pas à ça ! Je te sers quelque chose ? C'est sûrement l'heure de l'apéro. T'es toujours au pastis ?

Il parlait trop et trop vite, feignait l'enthousiasme. De toute évidence, lui aussi était nerveux. Ce constat soulagea Lisabeth, lui redonna une certaine contenance. Comme si la quantité de stress disponible dans la pièce était fixe et que la portion prise par l'un délestait automatiquement l'autre.

— Euh… oui… Un pastis… Pourquoi pas ?

Elle frétillait sur place, pendant que lui, derrière le comptoir, versait le pastis avec des gestes maladroits, ajoutait l'eau et les glaçons

en éclaboussant un peu, déposait trop brusquement le joli pichet carré sur le cabaret, faisait
s'entrechoquer les verres.

— On va sur la terrasse ? Il se passe quelque
chose ? J'imagine que t'es pas venue juste pour
me dire bonjour...

Il rit nerveusement et elle aussi, en signe
d'acquiescement, complices dans leur stress
inopportun.

— T'habites toujours sur la rue Dominique ?

— Non, j'ai déménagé l'année dernière.
J'ai acheté dans le croissant Deacon Hill.

— Ah. C'est beau, ce coin-là.

Ils traversèrent le loft sur toute sa longueur,
vers la terrasse. Les yeux de la jeune femme
couraient partout, caressaient chaque meuble,
chaque détail, en essayant de n'en rien laisser
paraître : coin salle à dîner, coin séjour, coin
entraînement avec poids libres, haltères et
exerciseur elliptique. Tout était impeccable,
épuré, rangé ; la lumière pénétrait de toutes
parts ; les objets semblaient de qualité (et de
prix) robuste. *A house, but not a home.* Ça tenait à
l'électricité dans l'air, à ce frisson qui ne la
quittait pas depuis qu'elle était entrée, mais
aussi à ce style digne d'un magazine, un décor
dans lequel l'humain faisait tache ; les lieux
semblaient faits pour être contemplés, pas pour

qu'on y vive. Ils s'installèrent dehors, côte à
côte. La vue sur le fleuve, à peine trois cents
mètres devant eux, était splendide dans la
lumière du soleil déclinant. Il lui servit un
verre. Elle le prit.

Lisabeth préférait généralement arranger
les situations pour que les gens fassent ce
qu'elle voulait, mais en ayant l'impression d'en
avoir eu eux-mêmes l'idée. Dans le cas présent, elle n'y arriverait pas. Elle le savait avant
de monter et ça l'horripilait. Elle inspira profondément et ravala le goût aigre de ce geste
qui lui coûtait.

Puis, laissant son regard errer sur les flots,
elle se jeta à l'eau.

22

Pendant que Lisabeth s'abaissait dans les hauteurs de l'Orphéon, Laurent en jaillissait, échevelé et crevé. Pas une minute de trot dans cette journée galopante. *Briefing* matinal, rencontre d'un nouveau client, commandes d'odeurs de dernière minute à livrer d'urgence : de la première à la dernière seconde, Laurent avait couru, comme une poule décapitée à la hache, dépourvu lui aussi de sa tête dans cet empressement à agir. Ne pas être ; faire. Automate productif. Et tandis qu'il passait et repassait la main dans ses boucles devenues hirsutes, de les triturer jusqu'à les africaniser, la nécessité de bloquer toute pensée susceptible de le ralentir s'était imposée. Ce n'est qu'une fois qu'il fut sorti de l'Orphéon que la digue avait cédé : la case boulot était cochée, on pouvait passer à la case perso. Homme séquentiel entre tous, ordonné jusque dans ses pensées. Et maintenant, tandis que son corps pilotait, faufilant le vélo entre les voitures, évitant les portières, l'esprit de Laurent entrait en ébullition. Sa Sofia semblait faire beaucoup d'efforts pour lui, pour leur couple ; elle lui avait même apporté un repas le midi même, une rareté qu'il eût savourée davantage s'il avait pu disposer de plus de trois minutes pour engloutir le tout. Tout de même, l'attention l'avait touché. Un rayon de soleil dans une journée démente.

Ils avaient très peu parlé depuis leur rupture, mais, malgré cela, Laurent avait compris une ou deux choses. Que Sofia lui était attachée, trop pour le quitter, mais que quelque chose manquait à son bonheur. *Quoi ?* Un autre lui aurait posé directement la question ; lui avait l'impression que l'important était justement de trouver la réponse lui-même. En homme de principes qu'il était, rendre sa femme heureuse relevait de son devoir. Il y avait manqué et admettait volontiers qu'elle s'ennuyât un peu à ses côtés. Comme tant d'autres, il s'était ramolli au fil des ans, n'avait plus entretenu autant d'amitiés ou d'activités en dehors d'elle, ne lui proposait plus beaucoup d'en faire ensemble non plus. Et il n'était pas assez fou. Elle le lui avait clairement dit. Puisqu'il avait choisi de rester, il lui fallait réagir. Repenser leurs moments à deux, se réinventer. Éviter de retomber dans les pantoufles en Phentex de ce couple momifié, de ces deux êtres qui ne se voient que face à face, penchés sur deux assiettes ou côte à côte, affalés devant un téléviseur, si large et moderne fût-il. Il avait déjà fait un premier pas avec sa recette du *Cuisinier rebelle*, elle avait riposté avec la boîte-repas de sushis. Pointage du concours de folie : un à un. C'était son tour.

Il s'arrêta au feu rouge, posa le pied droit au sol et tourna la tête, cherchant à meubler les secondes d'attente imposées par ce code de la route qu'il n'aurait jamais songé à enfreindre. Il n'y avait pas une seule voiture dans l'autre sens. Trois cyclistes le dépassèrent, franchirent l'intersection. Pas lui. Son regard errant tomba sur un jeune couple, beau, en santé, souriant et complètement en sueur, qui traversait la rue à pied, main dans la main. Tous deux avaient une gourde dans l'autre main et, sous le bras, un mince matelas de sol, roulé. Du yoga. Oui, du yoga ! Sofia adorerait. En quelques secondes, Laurent trouva une belle poignée d'arguments justifiant le choix du yoga comme activité de couple.

C'était tendance, exotique, bon pour le corps et l'esprit. Il pourrait y trouver son compte physiquement, gagner en souplesse et admirer sa sculpturale Sofia en pantalon moulant dans des poses improbables. Une foule de raisons pour éviter de voir que son attrait soudain pour le yoga reposait uniquement sur ce couple, devant lui. D'eux émanait une aura de bonheur pur, leur complicité crevait les yeux. Il voulait ÇA. Il les héla et leur demanda de quel centre ils sortaient.

— Ça s'appelle Solaria Bikram, c'est juste derrière, sur la rue Donsol, coin Saint-Bernard. Mais c'est du yoga en salle chaude. Préparez-vous à suer !

Il vira à gauche et attacha son vélo à une clôture, sous l'enseigne de bois du centre Solaria Bikram. Dès que Laurent poussa la porte, le lieu lui plut : une pièce immense, calme, lumineuse et qui sentait bon. Les planchers de bois avaient un look vieillot retapé, les plafonds étaient hauts et de gigantesques piliers de béton brut, troués comme des fromages, soutenaient le tout. Laurent descendit quelques marches, laissa ses chaussures à l'endroit indiqué et s'avança vers le bureau d'accueil où une jeune femme rousse lui souriait paisiblement en le fixant droit dans les yeux.

Patiente, elle lui donna toutes les informations sur les activités, les horaires, la tenue appropriée, les règles du centre, etc. Laurent l'écoutait en louchant vers le fond de la salle, vers l'aquarium de verre surchauffé où une séance se déroulait en direct. Une quinzaine d'hommes et de femmes, les cheveux plaqués au front, tenaient de longues secondes dans des postures circassiennes, répondant aux ordres du maître, un grand brun qui se contorsionnait lui-même à l'avant de la classe, torse nu, dégoulinant de sueur. Sa musculature était impressionnante.

Laurent fut impressionné.

La jeune rousse suivit son regard et arrêta un instant son laïus, penchant la tête de côté, passant la langue sur ses lèvres. Une chape de brume tomba sur ses yeux champagne.

— C'est Olivier. C'est lui qui va vous donner le niveau un si vous venez un jour de semaine...

Il ressortit avec deux abonnements de vingt cours, s'imaginant déjà orné de pectoraux saillants et humides aux côtés d'une Sofia toujours aussi magnifique et impeccablement maquillée, couverte d'une sueur sexy sentant les fleurs.

Cette image de leur couple parfait, beau, en forme, souriant, n'ayant aucun morceau de

persil entre les dents, hors d'atteinte des ma-
ladies, de la mauvaise haleine, des sautes d'humeur, des problèmes digestifs, cette image d'eux,
aseptisés, flottant au-dessus du reste des mor-
tels, le rassurait. Laurent bouffait souvent du
bon déni comme dessert.

C'est à ce moment précis, alors qu'il déta-
chait son vélo de la clôture en fantasmant sur
une version d'eux-mêmes digne de figurer
dans une publicité de papier hygiénique, aux
côtés des deux chatons blancs duveteux, qu'il
réalisa que, dans le film de sa journée projeté
en accéléré, il avait oublié une scène impor-
tante : l'analyse du prélèvement de la veille.

Bah. Il l'enfournerait avec celui du
lendemain.

23

Devant la requête de Lisabeth, Corax eut un rire embarrassé où perçait une pointe d'aigreur. Tout le monde avait quelque chose à demander à un millionnaire.

— Je me disais bien aussi...

Sans se démonter, elle continua sur sa lancée, lui racontant l'arrivée du projet secret chez Odosenss, l'occasion unique que cela représentait pour elle... et la forte probabilité qu'on y affecte quelqu'un d'autre.

— J'ai besoin qu'un autre client important s'amène et qu'il exige d'avoir Laurent. La seule personne à qui M. Elliott pourrait pas refuser ça...

— C'est moi.

— Oui.

— Je vois.

Il y eut un silence. Peu après l'achat de l'Orphéon par Louis Corax, Odosenss avait connu quelques ratés et des difficultés financières : un produit défectueux, un client à rembourser, des relations publiques à gérer. Corax avait été généreux et patient avec son locataire du troisième. L'entreprise de Paul Elliott avait rapidement été remise sur les rails, mais ce dernier, homme d'honneur, se sentait redevable. Et Lisabeth était aussi au courant de cela.

— Il doit bien y avoir une odeur qui te plairait, un parfum d'ambiance, un truc qui te rappellerait des souvenirs…

Louis semblait songeur. Il avala une longue gorgée de son breuvage jaune banane sans pelure, aussi opaque et trouble que ses yeux qui détaillaient Lisabeth avec un mélange de méfiance et de curiosité. Les glaçons tintèrent. Un rayon de soleil se perdit dans le liquide, sans parvenir à le traverser.

— Y a des drôles d'odeurs dans ma salle de lavage. Je pense que ça monte du crématorium. Des fois, ça lève le cœur.

Il fit une pause, la regardant droit dans les yeux, la jaugeant, tandis qu'il prenait une autre lampée de pastis. Il était clair pour Lisabeth qu'il ne disait pas le fond de sa pensée. Après

de longues secondes d'attente où elle se retint
de parler, trépignant, espérant qu'il comble-
rait lui-même ce vide plein d'interrogations,
il ajouta :

— Pourquoi je ferais ça ? Pourquoi je dé-
penserais mon argent sur un pouche-pouche
qui sent bon ? Pure générosité ? En souvenir
du bon vieux temps ?

— Non...

Elle prit une profonde inspiration, rassem-
bla ses idées et son courage, une fois de plus.
Elle planta ses yeux verts dans ceux de Louis.
Deux fléchettes, bien enfoncées dans le rond
central d'une cible de liège.

— Demande ce que tu veux, je suis... à ta
disposition...

Elle laissa traîner la fin de sa phrase, sans
conclure ou expliciter. La proposition, de par
le ton, le langage du corps, charriait un lourd
sous-entendu. Une surprise sincère se peignit
sur le visage du jeune homme, qu'il s'empressa
aussitôt d'effacer, laissant place à un silence
empreint de malaise.

— Wow. Julianne a des bonnes amies... Elle
serait contente de savoir que t'essaies de vendre
ton corps à son ex...

— Qu'est-ce que tu veux d'abord ? le
coupa-t-elle sèchement.

Sa voix n'était plus qu'un couinement. Elle se rendit compte qu'elle ne respirait plus, en attente de sa réponse, et laissa échapper un souffle bruyant d'éléphanteau. Elle descendit d'un trait la moitié de son verre, avalant un glaçon de travers au passage. Lui, ragaillardi par sa vulnérabilité, par l'humiliation qu'elle subissait, reprit avec plus de confiance.

— Tu te rappelles le voyage qu'on a fait en Toscane, Julianne et moi ?

Bien sûr qu'elle s'en rappelait. Il y avait encore des photos de ce voyage encadrées chez Julianne. Quant elle comprit soudain quelle tournure prenait la conversation, ses yeux s'allumèrent, passant du vert pistache au vert absinthe.

— T'aimerais le revivre... au nez ?

— Peut-être...

Ce fut son tour à lui de s'arrêter pour réflé-chir. Leur échange, saccadé, haché, baignait dans l'étrangeté ; un affrontement stratégique, un jeu d'échecs où chacun s'attendait à être piégé au coup suivant. Louis finit par lâcher le morceau, la voix basse, le souffle entravé : il voulait cette odeur de Toscane, mais il la voulait complète, fidèle à son souvenir. Et dans son souvenir, l'odeur de la Toscane comprenait celle de Julianne.

À cet instant précis, Lisabeth, perchée sur le bout de sa chaise, sut que c'était dans la poche. Elle se laissa choir contre le dossier, croisa lentement ses longues jambes et eut un large sourire, froid et satisfait.

— Laurent va te reproduire la Toscane comme personne. Je m'occupe de mettre la main sur le « reste » de l'odeur. Je veux bien faire le prélèvement sur elle, mais il faudra que tu l'apportes toi-même chez Odosenss. Ce serait *weird* que ça vienne de moi.

Louis eut une brillance dans le regard qui les ramena des années en arrière, qui le rendit plus beau, soudain. Julianne était son ex-amoureuse. Et la meilleure amie, depuis toujours, de Lisabeth. Graphiste au talent incroyable, à l'énergie débordante, la pétillante blonde l'avait quitté assez brutalement, quatre ans plus tôt, une rupture qui avait écorché le jeune homme. Mais de l'eau (et trente-trois millions de dollars) avait coulé sous les ponts depuis. Lisabeth n'aurait jamais cru disposer de cette carte-là. Dans ses projections les plus folles, elle n'aurait pas osé fantasmer sur un tel coup de poker : Louis Corax était nostalgique. Julianne lui manquait et, comble du bonheur, elle était la seule à pouvoir lui fournir son empreinte olfactive. C'était inespéré ; elle en aurait dansé sur la terrasse. Le jeu impliquait une micro-trahison envers son amie, un petit larcin, mais celle-ci n'en saurait rien.

Elle finit son pastis d'une traite, rivière nordique, et se leva d'un bond. Le soleil avait à peine bougé dans le ciel tant le tout avait été réglé promptement.

— *Deal ?*

— *Deal.*

24

M. Elliott entra dans le labo n° 3 comme une boule de bowling lancée sur une allée bien huilée. Il freina sec.

— Salut-mes-petits-gars-j'ai-un-très-gros-projet-pour-vous-ça-vient-directement-de-M.-Corax-le-propriétaire-de-cet-immeuble-et-il-a-demandé-à-ce-que-mes-meilleurs-chimistes-soient-là-dessus-il-avait-d'ailleurs-déjà-entendu-parler-de-vous-Laurent. (Inspiration bruyante.)

Laurent et Thibert échangèrent un regard et tentèrent de réprimer le sourire qui leur montait au visage, présumant tous deux que ce gros projet ne pouvait être que ce secret de Polichinelle qui courait dans l'entreprise depuis quelque temps.

— Il-veut-une-odeur-de-Toscane-bien-
précise-qu'il-a-gardée-en-mémoire-d'un-
voyage-Élyse-vous-a-monté-un-super-
dossier-tout-est-dedans-la-carte-des-lieux-
les-photos-prises-par-M.-Corax-sur-
place-des-infos-sur-ses-activités-et-sur-la-
température-au-moment-de-sa-visite-et-
aussi-un-prélèvement-corporel-de-la-
femme-qui-l'accompagnait-c'est-un-produit-
complexe-mais-M.-Corax-a-confiance-en-
Odosenss-et-j'ai-confiance-en-vous !
(Inspiration de balayeuse industrielle obstruée.)
Ça-vous-occupera-pas-mal-cette-
commande-mais-vous-pouvez-mettre-tout-
votre-temps-là-dessus-je-vous-libère-du-
reste-et-c'est-parfait-vous-sur-la-Toscane-
et-Lisabeth-sur-l'odeur-signature-ça-
donnera-la-chance-aux-petits-nouveaux-de-
se-faire-valoir-sur-des-projets-de-moindre-
envergure. (Sifflement de phoque poignardé.)

— Lisabeth sur quelle odeur signature ?
articula lentement Thibert.

— Oh-vous-ne-savez-pas- ?-La-lingerie-
Desnuda-lance-une-nouvelle-collection-et-
nous-avons-carte-blanche-pour-créer-le-
parfum-qui-sera-intégré-aux-vêtements-en-
une-vingtaine-de-déclinaisons-vous-savez-
variations-sur-un-même-thème-mais-

comme-Mme-Janson-l'a-elle-même-fait-
valoir-c'est-parfait-une-femme-pour-de-la-
lingerie-et-vous-qui-êtes-européen-Thibert-
vous-serez-parfaits-pour-la-Toscane.
(Inspiration de personne âgée atteinte d'une
maladie pulmonaire obstructive chronique,
communément appelée MPOC.)

Les deux chimistes, ravalant une boule de
déception de la taille d'une pastèque, demeu-
rèrent silencieux. Leur patron ne remarqua
rien et quitta la pièce à la vitesse du Road Run-
ner, leur réitérant son enthousiasme pour
« le-super-projet-de-M.-Corax ». N'étant pas
chimiste lui-même, M. Elliott venait, sans le
savoir, de leur faire passer sous le nez le mandat de leurs rêves : une odeur au rayonnement
international liée à une marque florissante, un
sillage qui deviendrait celui des femmes de
goût. Les dessous qui se devinent à l'odeur.
Promesse odorante de récompense pour certains yeux privilégiés, aguichage cruel pour
d'autres, qui ne dépasserait pas l'olfactif. Des
deux, Thibert était le plus abattu. Le sujet lui-
même englobait femmes, lingerie, sensualité,
sexualité, séduction : il ne pouvait pas croire
qu'un projet comme celui-là lui passe sous le
nez. Surtout au profit de Lisabeth, qui peinait
à concevoir quoi que ce soit de plus complexe

qu'un petit sapin en feutre pour parfumer les automobiles. Quant à Laurent, c'était le défi, l'aspect innovateur et le niveau de difficulté élevé de l'affaire, qui l'auraient emballé en temps normal et qui, gardés hors de sa portée, le pétrifiaient de consternation.

— La pute…, lâcha Thibert.

Il y eut un silence et il ajouta :

— C'est clair qu'elle lui a pompé le dard au vieux luisant pour pouvoir bosser là-dessus. Elle y arrivera pas. Elle va tout faire foirer, Odosenss va fermer et on sera tous à la rue, c'est moi qui te le dis, Pif. Même son dernier machin, le détergent aux pommes vertes, tu sais ? Un jeu d'enfants ! Eh ben, je lui ai filé un coup de main la veille. C'était chelou son truc, ça sentait le vieux fruit aigre qui a passé. Elle a même pas été foutue de me remercier… La pute.

Laurent se taisait, ne sachant trop que dire. Laurent était gentil, Laurent voyait toujours le côté positif des choses, Laurent ne parlait pas en mal des gens. Laurent n'avait plus envie d'être Laurent. Il finit par ramasser ses affaires et descendit prendre l'air, sans avoir prononcé le moindre mot, sans même une pensée pour ce prélèvement de l'avant-veille, qu'il avait omis de soumettre à l'Odoscan. Celui de la veille fut

oublié du même coup. Dans l'immédiat, la surveillance obsessionnelle d'une amoureuse ir-
réprochable depuis son retour s'inscrivait tout
au bas de la liste de ses priorités. D'abord,
contenir la colère. *Quand?* Laurent sursauta
devant le retour de cette question, qu'il avait
crue obsolète depuis le retour de Sofia. Tout
allait si bien avant. Pourquoi tous les secteurs
de sa vie s'obstinaient-ils à s'écrouler sur lui?
L'impression de marcher dans une forêt ma-
ture pendant que l'on y scie tous les arbres, un
à la fois.

Sofia et lui devaient se rejoindre vers midi
pour leur deuxième cours de yoga au centre
Solaria Bikram. Il arriverait un peu en avance,
mais avait besoin d'air. L'endroit ne se trouvait qu'à quelques blocs de l'Orphéon: la
marche lui ferait du bien. Il parcourut la distance à grandes enjambées, inspirant profondément, luttant contre le sentiment que l'ensemble de sa vie lui échappait et contre un fond
de colère qui l'habitait trop souvent ces der-
niers temps, mais qu'il n'aurait su nommer.
Laurent Piffeteau n'avait jamais été un agressif.
Il s'était toujours efforcé de prendre sur lui, de
ravaler. Quand quelqu'un lui fonçait dedans,
il s'excusait. Bien qu'il ait aimé le premier cours,
qu'il en soit sorti détendu, léger, ce n'était pas

de yoga dont il aurait eu besoin ce midi-là, mais d'une bonne séance de boxe libératrice.

Autour de lui, cette ville de taille moyenne où il avait grandi et étudié. Sa ville. Tout lui semblait pourtant inhospitalier. Le ciel était gris et lourd : trop bas, oppressant, il donnait envie de le pousser des deux mains vers le haut. Le vent lui projetait de la poussière dans les yeux, sur la langue, ses vêtements l'étouffaient. Les gens croisés — tous des cons — marchaient trop lentement, le regardaient de travers, étaient laids, puaient. Il entra dans l'édifice de brique rouge où logeait le centre, dévala les quelques marches de l'escalier en deux enjambées et se dirigea vers le vestiaire des hommes sans laisser ses chaussures dans le petit panier prévu à cet effet. Dissidence. Il fit irruption dans la pièce à la hussarde, faisant sursauter leur instructeur, Olivier, qui s'y trouvait déjà, une serviette autour de la taille, le muscle et le cheveu humides.

— Laurent ! T'arrives tôt.

— Journée de merde au travail. Y fallait que je sorte. Tu donnais un autre cours avant ?

Olivier hésita, semblant ne pas comprendre. Laurent pointa la serviette, un peu ennuyé que sa question polie entraîne une conversation de plus de dix mots.

— Ah, ça ! Non... J'viens toujours au centre
en joggant et j'haïs ça, commencer le cours déjà
en sueur.

Laurent n'ajouta rien. Dans une salle de
yoga chauffée à quarante-deux degrés Celsius,
le jeune professeur serait en nage en moins
d'une minute de toute façon. Qu'importe. Il
jugea celui-ci un peu zélé côté hygiène corpo-
relle, tout en s'en foutant éperdument. *Dernier
de mes soucis. Vraiment.* À cet instant précis, Sofia
entra en trombe dans le vestiaire des hommes
et s'arrêta, interdite, perdant son large sourire
en les voyant côte à côte sur le banc de bois.

— Oh... oups... désolée... Me suis trompée
de porte... Salut, chéri.

Et elle ressortit.

Laurent eut un petit rire d'excuse en direction d'Olivier. Un rire sec comme une char-
nière de porte mal huilée qui dura en tout une
seconde et demie avant de s'évanouir sous le
poids de ses pensées. Puis il replongea dans le
labyrinthe verdoyant de ses angoisses, rages,
impuissances, ces variétés de fleurs qui pous-
sent si bien en milieu tracassé. Respirer.

Le cours ne commencerait que dans trente-
cinq minutes. Il avait tout le temps pour s'étirer et se détendre un peu, question de sortir
Lisabeth et Desnuda de son esprit. Il alla s'asseoir

dans la position du lotus sur un tapis et se mit, doucement, à respirer comme Olivier le leur avait appris. Après quelques minutes, Sofia vint s'installer à ses côtés et leurs deux souffles unis étaient, à ses oreilles, la plus reposante des mélodies.

— Je suis content que tu sois arrivée plus tôt, toi aussi, dit-il en se penchant pour déposer un baiser sur son front.

Elle lui sourit.

25

Un mois plus tard, on annonçait le lancement de la prochaine collection printemps-été de Desnuda. La rumeur courait que les bonzes de la marque avaient été épatés par le produit livré : un coup de maître de la part d'Odosenss, disait-on. Il avait donc été décidé que le dévoilement mondial aurait lieu au Québec. La communauté *fashion* trouva la décision très *hip,* et les comptes Twitter gazouillaient sur la prétendue joie de vivre québécoise, la beauté de la contrée sauvage canadienne et le charme sans bornes du français avec accent de bûcheron. Une dizaine d'invitations avaient été offertes gracieusement aux employés d'Odosenss, ce qui permettrait à quelques privilégiés, dont Laurent et Thibert, d'assister au défilé VIP en compagnie des journalistes, des rédactrices en

chef de magazines réputés et des vedettes, petites et grandes.

Laurent serait, ce soir-là, accompagné de
Sofia, qui se réjouissait d'avance du glamour
manifeste de la soirée. À force d'efforts, leur
couple semblait remonter lentement la pente.
Thibert, lui, prétextant que ses plus intimes
fréquentations n'atteignaient pas la barre du
présentable, fit cadeau de son carton addition-
nel à Élyse. Celle-ci crut bien défaillir de joie,
malgré l'insistance de Thibert à lui répéter
(dix fois plutôt qu'une) qu'il s'agissait d'un
don et non d'une invitation à l'accompagner.
Pas question d'être flanqué d'une cavalière
rondouillarde : il voulait avoir le terrain libre.

Ainsi, le soir venu, Thibert, affalé dans le
fauteuil préféré de Laurent, sirotait une vodka-
soda offerte par Sofia, célébrant du même coup
l'introduction de l'alcool dans ce foyer obnu-
bilé par la volonté d'être plus fou. Tous trois
s'endimanchaient pour la grande soirée, ou
plutôt, le couple se faisait beau, Thibert ayant
investi quatre minutes (top chrono) dans sa
tenue avant de se juger, selon ses propres termes,
« très potable ». Tandis que Laurent promenait un rouleau adhésif sur son veston afin d'en
retirer les poussières, Thibert, carton d'invitation à la main, contemplait, dubitatif, le papier

rose semi-translucide et les dorures du lettrage annonçant le triomphe de Lisabeth. Laurent lut dans les pensées de son collègue.

— Peut-être qu'on l'a jugée trop vite...

— Quoi ? Tu te fous de ma gueule ? Cette blondasse, j'te rappelle qu'elle a pas été foutue de faire une odeur de menthe crédible pour un chewing-gum. Ça sentait le dentifrice, son machin ! Et puis elle a déjà proposé une odeur de lilas et je te jure, Pif, c'était bidon. J'ai rien dit à M. Elliott parce qu'il l'aime bien, mais elle avait copié. Du pur plagiat. Ça venait de Dans un Jardin. Je le sais parce qu'à l'époque, je baisais une nana qui bossait dans ce magasin.

— Thibert...

— Je plaisante pas, mec. « Lisabeth » et « clients épatés » dans la même phrase, c'est pas possible.

Il agitait l'invitation devant le visage de Laurent, le regard intense.

— Parole de Thibert : y a quelque chose de pas net là-dedans.

Le Français piaffait à grands coups de Converse sur le plancher du salon ; Laurent ne savait quoi penser de sa hargne. Il ne s'était jamais perçu comme une personne à l'âme particulièrement compétitive, ni sur le plan professionnel ni sur aucun autre plan d'ailleurs.

Pourtant. Toute cette affaire, versée en sauce sur les récentes contrariétés de sa vie personnelle, lui agitait désagréablement l'estomac. Plus qu'il ne voulait l'admettre. Un sentiment constitué d'une grande part de dépit : déçu de ne pas avoir eu la chance de plancher sur un tel mandat ; déçu également que le seul projet aussi excitant à être entré chez Odosenss ait fini sur la table de travail d'une chimiste de deuxième ordre. Il essayait de se convaincre que ce n'était pas de la jalousie, juste une impression de gâchis irréparable. Toutefois, par-dessus ce gâchis surnageait un filet de fiel, une envie floue de riposte.

Thibert, labile, prit une gorgée et changea de sujet et d'humeur en une seconde.

— Ça dit « tenue de soirée ». Tu crois que j'suis assez sapé, Pif ? J'suis décent ? Elles vont craquer, les meufs ?

— T'es… toi. Je peux te prêter des vêtements si tu veux te changer…

— Mais oui, monsieur-la-montagne-de-muscles-sans-effort, c'est ça. Tu m'as regardé récemment ? Tu fournis les vingt kilos qu'il me manque avec les fringues ?

Laurent laissa échapper un rire bref, mettant son embryon de rage de côté. Pragmatique, il se demandait, en nouant distraitement sa cravate, de quelle façon on pouvait organiser un défilé qui présenterait une odeur différente pour chaque ensemble, le tout pour presque deux cents personnes. Thibert, de nouveau grognon, soliloquait en faisant tourner le liquide de son verre.

— Si c'était pour autre chose, je m'en battrais les couilles, j'me pointerais pas au lancement, je boycotterais. Mais alors là, de la lingerie... Je peux pas louper ça. C'est à voir, y paraît, ces dessous... Et puis les modèles... Aïe, aïe, aïe.

La gorgée suivante de sa vodka-soda ne passa qu'à moitié, coulant un peu sur sa chemise, car Sofia venait de passer de la salle de bain au salon, tout sourire.

— Je suis prête.

Elle était tout simplement renversante dans une robe de satin crème qui eut semblé fade sur n'importe qui d'autre, mais qui, sur elle, faisait croire à une apparition angélique. Sur la perfection de Sofia, tout extra avait l'air superflu. Plus elle se vêtait simplement, laissant toute la place à sa beauté, plus celle-ci était frappante. Comme une lumière forte qui, recouverte, ne pouvait être qu'affaiblie. Se hissant sur la pointe des pieds, elle déposa un baiser léger sur la nuque de Laurent.

— J'ai très hâte de voir les pièces de la nouvelle collection…

Laurent, lui, avait surtout hâte de les sentir.

26

Vendredi soir ; le fameux soir du défilé. Pour l'occasion, Lisabeth s'était procuré une splendide robe signée Renata Morales. Le style tout en féminité de la designer d'origine mexicaine donnait un résultat à couper le souffle sur le corps ferme et musclé de la grande blonde. La robe était un nuage, un rêve de princesse, tout en superpositions de rose chiffonné et de beige plissé. Les tissus étaient aériens, effilochés ou agrégés par endroits. Dentelles et broderies se moulaient sur sa peau : du crémage sur un petit gâteau. De fines et sinueuses lignes d'or couraient sur son ventre, allaient se perdre dans les volutes de la jupe qui, une fois les hanches couvertes, se faisait ensuite translucide et asymétrique. On eut dit une ballerine prête pour *Le lac des cygnes.* Égarée dans toute cette délicatesse se tenait une Lisabeth blanche, raidie de nervosité et d'anticipation, tentant de conserver sa contenance et son sourire devant les visages célèbres qui l'entouraient. Ses mains étaient glaciales. Et elles tremblaient.

L'événement avait lieu dans l'ancien hangar désaffecté d'une compagnie d'aviation. Les plafonds étaient hauts de plusieurs dizaines de mètres et les convives entraient par deux portes d'une lourdeur et d'une taille dignes de l'Olympe. Le dispositif du défilé était simple mais ingénieux : un long trottoir roulant, haut d'un mètre, courait à travers l'immensité de la salle, serpentait entre les places assises. Pour l'heure, de petites assiettes couvertes de canapés circulaient sur ces tapis, mais sous peu, les mannequins y défileraient sans avoir à effectuer un seul pas pour avancer, présentoirs humains statiques.

La critique adorerait la collection. La marque avait eu raison de donner dans le grandiose pour ce lancement. Avec l'embauche récente d'un nouveau jeune designer en chef, Desnuda proposait la lingerie la plus créative de toute son histoire. Un changement de cap majeur. Y avoir ajouté une fragrance signature et ses déclinaisons ferait de chaque dessous une véritable œuvre d'art et de l'entreprise, un chef de file en termes d'innovation. Elle, Lisabeth, triompherait cé soir. Garanti. Elle était pourtant plus nerveuse que jamais, anxieuse à en avoir les tripes nouées.

Soudain, elle les vit, minuscules fourmis entre les portes atteintes de gigantisme : Laurent Piffeteau et Thibert De la Haye Duponsel. Laurent était à couper le souffle dans un complet Dubuc taillé sur mesure pour lui, qui semblait sculpté à même son corps. Lisabeth avala de travers et entendit son sang pulser dans ses tympans. Elle se détesta instantanément pour cet effet qu'il avait toujours sur elle, malgré qu'elle y ait goûté et que le mets ne se soit pas révélé à la hauteur des promesses du menu. Thibert, fidèle à lui-même, avait revêtu un costard un peu trop grand, sans cravate, et portait ses habituels Converse. C'était sans doute le maximum d'élégance que l'on pouvait espérer de sa part. Entre eux deux, Sofia. Lisabeth grimaça et se permit, intérieurement, quelques commentaires mesquins sur la banalité de sa tenue. Les voyant venir dans sa direction, elle fit volte-face et piqua vers les premiers visages connus qu'elle aperçut, en l'occurrence Élyse et M. Elliott, en grande conversation près du buffet défilant.

— Lisabeth-ma-chère-il-faudra-me-dire-où-vous-avez-puisé-votre-inspiration-pour-

cette-série-d'odeurs-c'est-à-damner-
n'importe-quel-homme-je-disais-justement-
à-Élyse-à-quel-point-vous-vous-étiez-
surpassée-sur-ce-projet-on-sent-que-vous-
avez-atteint-la-maturité-professionnelle-
mais-dites-moi...

Lisabeth perdit la fin de la phrase quand retentit une voix féminine robotisée demandant à
tous de prendre place. Élyse, sous le regard dégoûté de Lisabeth, empila d'une main le plus de
petits fours possible sur une serviette de table,
puis en enfourna deux ou trois directement.
Les notes d'un décompte vibraient dans l'écho
tonitruant du hangar, tandis que les portiers s'y
mettaient à six pour refermer les grandes
portes. Disciplinés malgré leur impatience, les
invités prirent place en un temps record, ap-
pareils photo ou calepins et stylos en main,
téléphones intelligents prêts à répandre la
bonne nouvelle sur les réseaux sociaux et la
blogosphère.

Et, pendant que la lumière baissait, peu à
peu engloutie, mangée, par la noirceur ambiante, Lisabeth se rendit compte qu'elle rete-
nait son souffle depuis de longues secondes.
D'un seul coup, elle inspira violemment, se
brûlant les poumons. Ce faisant, elle croisa le

regard de Laurent, assis à dix mètres d'elle, de l'autre côté du tapis.

Gentil, empathique, une main sur le genou de sa douce, il lui sourit.

Tout ira bien, semblaient dire les beaux yeux bleus de Laurent Piffeteau.

Elle en doutait.

27

L'anticipation était dense, quasi palpable dans l'espace humide et tiède du hangar, comme de l'électricité dans l'air. Laurent, peu friand de ce genre de soirées mondaines, avait insisté pour n'arriver qu'à la toute dernière minute, question de limiter les conversations vides. Maintenant assis, il tapait du pied, dans les toussotements et le raclement des chaises sur le plancher de béton. Tous semblaient éprouver, comme lui, quelque difficulté à tenir en place : la rumeur avait précédé l'événement et les attentes étaient élevées. Lisabeth, assise face à Laurent, paraissait la plus nerveuse de tous.

De jeunes hôtesses ondulaient à travers les rangs, remettant à chacun une tablette rose et dorée parsemée d'une multitude de petites portes verrouillées. Laurent baissa les yeux sur

l'objet et sentit monter une bouffée de fébri-
lité. Il contemplait, sur ses genoux, l'équiva-
lent adulte de ces calendriers de l'avent qu'il
recevait enfant : une alvéole pour chaque jour
de décembre, un chocolat dans chacune. De
menus plaisirs, offerts au compte-gouttes.
Cette version était toutefois plus lourde et net-
tement plus sophistiquée : les trappes contenaient les fragrances associées à chacun des
sous-vêtements du défilé. Commandée à distance, chacune ne s'ouvrirait que lorsque le
mannequin portant les dessous appropriés ap-
paraîtrait. L'hôtesse assignée à leur section
piaillait comme un oisillon affamé.

— Prenez soin de refermer chaque porte
lorsque vous avez bien humé l'odeur : on ne
peut ouvrir qu'une seule porte à la fois, pour
éviter les mélanges. La suivante ne s'ouvrira
pas tant que vous n'aurez pas refermé la
précédente.

Thibert leva les sourcils bien haut, impressionné, tandis que la jeune femme s'époumonait
en anglais et en espagnol.

— C'est tellement excitant…, chuchota Sofia.

Laurent ne répondit pas. Il contemplait sa
tablette. L'objet avait le poids, la forme et
l'épaisseur d'un ordinateur portable fermé.
Un MacBook Air, disons. D'un rose corail

doux, son plastique était incrusté de motifs de dentelle dorée et chacune des vingt minuscules trappes à parfum évoquait une porte de coffre-fort. Son impatience gagnait des sommets, tandis qu'il détaillait ces barrières lilliputiennes le séparant de la révélation olfactive qu'il attendait. Il les fixait avec une intensité démesurée, comme si, du regard, il avait pu les forcer à s'ouvrir. *Sésame, ouvre-toi.*

Il sursauta lorsque des notes gracieuses fendirent l'air. Une femme, grande, mince et élégante, arborant une robe alliant le rose corail et les éclats d'or qui semblaient les couleurs thématiques de l'événement, jouait de la harpe électronique avec une rare virtuosité. Le côté classique de l'instrument et le son moderne qu'elle en tirait produisaient un contraste saisissant. La harpiste extasiée frappait les cordes puis les caressait, faisant naître une musique mêlant les percussions à la véritable sonorité des cordes, le tout extirpé d'un instrument tout droit sorti d'un film de Walt Disney.

La mélodie, constante pendant une minute, sembla ensuite enfler, prendre toute la place, puis accélérer jusqu'à ce que le rideau s'ouvre enfin sur le premier mannequin. L'air déserta les poumons, les souffles s'affaissèrent, tandis qu'une jeune femme, une brune aux traits brésiliens et à la chevelure en cascade, se laissait porter par le tapis, glissait comme Jésus sur l'eau, dans une pose mettant en valeur son corps splendide : longues jambes fuselées, huilées, ventre au galbe parfait, aux creux ciselés, seins ronds et hauts. L'ensemble de lingerie qu'elle portait était flamboyant, avec une touche SM donnant l'impression qu'on l'avait ligotée. Vert émeraude et noir, le soutien-gorge pigeonnant partait en différentes bandes autour de son buste et de son cou, le harnachant de multiples rubans de satin. La culotte et le porte-jarretelles faisaient le même travail sur son ventre plat, sur ses hanches et son dos, dans un entrelacement complexe. La top-modèle bougeait, dansait presque, marchait sur place, à contresens du mouvement mécanique du tapis roulant. Puis elle se laissait dériver, se penchait, offrant ses fesses comme un bouquet de fleurs au regard d'un public conquis. Une prestation qui donna un discret frisson à plusieurs hommes dans le hangar, Thibert inclus. Il déplaça légèrement la tablette sur ses cuisses afin de cacher un début de réaction physiologique.

Pas Laurent.

Pas Laurent, parce que, dès l'entrée en scène du mannequin, la première petite porte, tout en haut de la tablette, s'était ouverte. Deux cents mécanismes identiques s'étaient déverrouillés en même temps à travers la salle, dans un claquement sec ; deux cents nez s'étaient penchés vers la pastille ainsi révélée, l'avait humée sans quitter des yeux la splendide brune en vert et noir, avaient senti la même chose que Laurent : l'odeur hormonale, sensuelle, de Sofia après qu'elle eut passé entre les mains d'un autre homme. Laurent avait reconnu, sur la première pastille, Sofi-B.

— C'est magnifique, mais je ne sens rien du tout..., souffla Sofia, reniflant avec insistance, le nez collé à la pastille, le front plissé.

Si le moindre doute avait encore plané sur Laurent, il se serait évaporé sur-le-champ, laissant le chaos derrière lui. *Une personne ne peut sentir sa propre odeur.*

Dans un mélange d'émotions intenses, la poitrine serrée, le souffle court, il leva le regard vers Lisabeth tandis que passaient entre eux les jambes bronzées de la belle Latina. La jeune femme le dévisageait tristement et il crut lire sur ses lèvres les mots « je suis désolée ».

Puis, alors que se battaient en lui mille pensées rageuses, il réalisa qu'il restait dix-neuf autres portes.

28

Lisabeth attendait ce contact visuel avec Laurent, elle qui n'avait pas cessé de le fixer depuis le tout début, depuis l'envol des premières notes de harpe. Peut-être, de cette soirée, n'avait-elle attendu que cela, en fait. Elle avait pu lire chaque émotion sur son beau visage, l'avait vu s'exciter, impatient, enfantin, puis avait contemplé en direct la déformation de ses traits, modelés par diverses charges affectives. La surprise, d'abord, dès que son odorat aiguisé avait saisi les effluves. Ensuite étaient venues la douleur, la rage, l'incompréhension. Elle qui avait tant voulu réussir, tant désiré se venger de lui, s'affaissait maintenant sur sa chaise, défaite. Elle avait réalisé quelques heures plus tôt qu'il n'y aurait pas de triomphe pour elle ce soir. Elle avait senti naître les prémices de ce regret qui l'assaillait désormais de plein fouet, dans la pénombre et les murmures de la foule. Ses motivations n'avaient toutes été que des faux-semblants, des prétextes. Alors que défilaient les modèles, que l'assemblée poussait des oh! et des ah!, qu'aurait dû monter en elle le plus grand sentiment d'accomplissement jamais ressenti, elle rapetissait. Lisabeth appelait de toute son âme l'évaporation, l'autocombustion, la crise cardiaque, n'importe quoi pour ne plus voir ce qu'elle voyait.

Parce qu'à chaque nouvelle petite porte qui s'ouvrait, le beau visage de Laurent se décomposait un peu plus et elle, déconfite, repentante, s'avouait, là, au milieu de la foule, pour la première fois, qu'elle était incontestablement amoureuse de lui. Elle aurait voulu tout effacer et le prendre dans ses bras. Caresser sa joue, son front, sa poitrine, le consoler, lui dire que ce n'était qu'un mauvais rêve. Elle avait gagné un duel à l'épée, avait donné le coup fatal et pleurait sur le mort.

Une odeur signature déclinée vingt fois, avait demandé M. Elliott. Et elle, qui avait vu Laurent mijoter un projet personnel, le soir de leurs désolants ébats, était retourné fouiller, quelques semaines plus tard, curieuse de savoir sur quoi il pouvait bien travailler à une heure aussi avancée de la nuit. Elle avait trouvé des dizaines de fioles, datées, avec le nom de SOFIA écrit en majuscules sur chacune, contenant toutes la même odeur féminine, sensuelle, avec des variations légères dans les notes superficielles. Lisabeth n'était certes pas une grande créatrice ni un nez particulièrement aiguisé, mais elle était une bonne chimiste et connaissait les aspects techniques de son métier. Quelques analyses et elle avait parfaitement compris ce qu'elle avait entre les mains. Ces analyses que Laurent n'avait pas pris la peine de faire, puisqu'il ne soumettait chaque prélèvement qu'à un test, comparatif, avec Sofi-B.

Laurent avait mis de côté son odorat exceptionnel, s'en était remis entièrement à la machine. Logique, puisqu'il ne cherchait qu'un homme dans l'odeur de son amoureuse.

Lisabeth en avait trouvé vingt.

29

Interminable. Le défilé avait semblé durer des heures. Devant cette hémorragie de sa vie privée, Laurent, emporté par la débâcle de son humiliation, aurait pu abdiquer, ne pas refermer la porte numéro quatre et ainsi empêcher la cinquième de lui faire plus mal encore. Non. Il les avait toutes ouvertes, puis rabattues, le geste calme, contrôlé. Masochisme ? Maintenant qu'il avait soulevé le couvercle de la boîte de Pandore, il voulait savoir. Il devait savoir.

Et il sut.

Son nez, organe fidèle, aiguisé, auquel il n'aurait jamais dû cesser de se fier, reconnut la pureté des produits. Lisabeth n'avait pas simplement volé la recette de Sofi-B pour en faire vingt déclinaisons. Elle ne possédait pas ce talent. À l'évidence, elle avait fait main basse sur l'ensemble des prélèvements et en avait extrait tout ce qu'ils pouvaient raconter. Elle n'avait que magnifié ce qu'ils contenaient déjà, ce que lui avait refusé de sentir. Quoi de plus approprié pour de la lingerie que cette odeur de femme adultère, de stupre et de luxure ? Une émanation de muse unique qui devenait l'emblème de la marque, mais qui, selon les dessous, diffusait les effluves d'une aventure différente. La même cliente, portant Desnuda, se faisait multiple. On ne pouvait se lasser d'une telle amante. Le chasseur en l'homme demeurait perpétuellement sollicité, titillé. C'était tout simplement génial ; la collection complète représentait la femme libérée, disposant librement de son corps, de son sex-appeal. Et toute cette comédie se passait au niveau olfactif. Du grand art. Dans un autre contexte, Laurent aurait salué l'audace, la perfection du concept, aurait ovationné ces odeurs que l'on n'apprécierait pas parce qu'elles « sentaient bon », mais plutôt pour ce qu'elles provoquaient, en dedans. Des phéromones pures. Quelque part aux tréfonds du ventre, de la tête, on absorbait ces émanations et une part primaire de soi répondait. Le cerveau reptilien, l'instinct animal : allez savoir. On humait et on désirait. De la lingerie aussi efficace pour les yeux que pour le nez. Le produit de marketing olfactif par excellence. Laurent avait vu la réaction de la gent masculine dans la salle, le léger malaise, la jambe qui se croise, les raclements de gorge et les tentatives de garder un visage impassible. Une réponse au produit que l'on aurait qualifiée de parfaite en groupe-test. Il en aurait presque pleuré. Dans un autre contexte.

Parce que, dans la conjoncture actuelle, deux réalités plutôt déplaisantes s'imposaient à son esprit : de un, la femme assise à ses côtés l'avait trompé avec au moins une vingtaine d'hommes ; de deux, le monde entier banderait en en inhalant le fumet.

Or, le pire n'était pas l'adultère lui-même ni le nombre d'hommes impliqués. Ce n'était pas le regard de la foule, puisque personne dans cette salle ne pouvait deviner de qui provenaient les odeurs qu'ils respiraient tous en frissonnant. Dans le contexte, trouver Sofia au lit avec un homme, avec plusieurs, et que le monde entier le sache lui semblait presque digeste. Que cette révélation-choc lui arrive par le nez, c'était autre chose. Laurent respirait difficilement. La trahison était immense. Ce qui lui écrasait les poumons n'était pas seulement le fond du scandale, mais sa forme : son humiliation, son cocufiage explosaient aujourd'hui en odeurs — pas en images, pas en sons : en odeurs —, parce qu'il avait échoué à les sentir, parce qu'il avait omis de les sentir. Il était trahi précisément là où ça pouvait lui faire le plus mal. Le Nez en lui s'était planté, son plus grand talent, bafoué. Sa vie s'écroulait parce qu'il avait été nul dans le seul domaine où il ait toujours été exceptionnel. Cette humiliation-là, bien plus que l'autre, ne passait pas.

Dès les premiers applaudissements, il tituba hors de la salle, tenant toujours sa tablette à la main, laissant Sofia derrière lui. Il fuyait, tandis qu'on applaudissait à s'en rougir les paumes, dans le bonheur généralisé de pouvoir intellectualiser le trouble ressenti ; en faire de l'art pour nier la dérangeante réponse instinctive. Ses sentiments étaient tout aussi tonitruants et confus. Oui, la douleur, mais c'était une géhenne atteinte d'étrangeté. Comme si, à force de vivre dans le feu, on s'habituait à la brûlure. Sa souffrance se faisait exogène et il la contemplait, anesthésié. Un affect inusité grondait au fond de ses entrailles. Des molécules naissantes se réorganisant, cherchant le meilleur ordre pour une explosion atomique digne de ce nom, y aspirant par nature : la genèse de la

haine. De la rage pure et envahissante, s'impo-
sant non pas comme un parasite dont on peut
se défaire, mais comme une nouvelle défini-
tion de l'être. Laurent était la rage. *Quand ?*

— Laurent, attends !

Lisabeth. Elle courait derrière lui, inélé-
gante dans sa course entravée, les tissus délicats
de sa robe peinant à suivre ces mouvements
pour lesquels ils n'avaient pas été conçus. Ses
hauts talons se muaient en échasses, prothèses
circassiennes ridicules et pataudes. Lui se retourna, telle la Gorgone, terrible, pétrifiant.
La jolie blonde éclata en sanglots, comme si
elle avait reçu, d'un seul regard, la charge immense de cette exécration qu'il éprouvait maintenant pour elle, pour les femmes, pour le
monde entier. Il y eut un temps d'arrêt, entre
quatre yeux, immobile. Deux émeraudes vertes
inondées de larmes contre deux saphirs,
pierres sèches et dures. Il ne prononça pas un
mot, mais elle sut qu'elle non plus n'avait plus
droit à la parole, que rien de ce qu'elle pourrait dire ne pourrait minorer l'ampleur de
cette trahison. Tandis que Sofia courait aussi
vers eux, venait juxtaposer son incompréhension aux pleurs de l'autre, Laurent se retourna
et partit.

Lisabeth eut très froid, soudain.

30

Rolland avait été affecté au quart de nuit de l'Orphéon ce vendredi-là. Bosser de nuit, le dernier jour de la semaine, équivalait à s'ennuyer intensément et longtemps. M. Corax, du cinquième, était en voyage et les bureaux d'Odosenss, de Bleu Communication et de Johnny Net étaient vides et fermés. Le Café Clochette aussi. Il n'y avait que Le Phénix, le crématorium du quatrième, qui soit parfois actif, si mort d'homme il y avait, mais Rolland n'aimait pas trop voir passer les civières en direction du monte-charge. Il avait apporté un roman à suspense et se proposait d'égrener les minutes entre ses pages. C'était Réjean, son frère jumeau, qui aurait dû faire ce quart-là, mais il était malade. Déjà désagréable en général, il était infréquentable lorsque souffrant.

Rolland avait meilleur tempérament. Assis derrière sa guérite, lissant sa moustache, il s'apprêtait, stoïque, à attaquer son deuxième quart de travail et son roman quand il entendit le fameux *bip bip* indiquant que quelqu'un franchissait la porte principale.

Lorsqu'on lui demanderait de relater les événements par la suite, il insisterait beaucoup sur la tenue élégante du jeune homme, sur le fait qu'il n'était pas dans son état habituel, lui qui avait toujours un bon mot pour son vieux gardien de sécurité. Il signalerait aussi la fixité de son regard.

— J'pense qu'y m'a même pas vu en passant. Y marchait ben vite pis ben drette. Je l'ai salué, mais y'a pas répondu. Pis j'ai pas pensé d'avertir qui que ce soit parce que je l'connais, pis y'est allé à son étage, tsé. Y avait rien pour paniquer. Me suis dit : habillé *swell* de même, y doit sortir d'une soirée, être un peu pompette pis avoir oublié quek'chose au bureau. Ou y aller pour dormir... Savez, y en a des maris qui vont dormir en dessous de leur bureau quand leur p'tite femme les mettent à porte. J'pouvais pas l'savoir...

Rolland avait regardé les portes de l'ascenseur se refermer et les chiffres lumineux s'allumer successivement : 1, 2, 3. Odosenss. Le jeune

Piffeteau se rendait au bon endroit. Il avait
replongé dans son livre en grignotant des Rin-
golos, ses doigts laissant des traces orangées en
bordure des pages.

31

D'un message texte, Laurent avait tenté de calmer Sofia et de s'acheter l'isolement requis par son entreprise : *Ne m'attends pas ce week-end. Vais au labo. Besoin d'être seul. Ai été inspiré au défilé.* Il savait qu'elle n'en croirait pas un mot. Il s'en foutait, voulait juste qu'on le laisse tranquille. Les nombreux messages subséquents de Sofia avaient tous été ignorés. Laurent s'était cloîtré dans l'unique refuge envisageable pour lui : son laboratoire. *Quand ?*

Trois nuits et deux jours devant lui, vingt hommes à traquer. La saison de la chasse était ouverte ; manger ou dormir ne faisaient pas partie des plans. Il travailla sans relâche, d'abord à identifier, avec l'aide de la tablette du défilé, les odeurs incriminantes choisies par Lisabeth parmi la quarantaine prélevées sur Sofia. Une à la fois, il les analysa, les décomposa jusqu'à éventrer leurs mystères. L'Odoscan roulait en permanence. Il leva tous les voiles, sans pudeur, jusqu'à ce que les arcanes de l'intimité de Sofia fussent mis à jour. Si la jeune femme s'était offert une visite dans son jardin secret ce jour-là, c'est un saccage de plantes piétinées et de fleurs étêtées qu'elle y eût trouvé.

Il y eut effectivement vingt gagnantes parmi les fioles.

Curieusement, deux fioles étaient dénuées d'autocollant, semblaient n'être jamais passées par l'Odoscan. Fioles n° 9 et n° 10 : des oubliées. Il se rappela ce fameux lundi où Sofia lui avait apporté un lunch, cette analyse remise au lendemain qui n'avait jamais été effectuée puisque le lendemain s'était avéré aussi frénétique et débordant que la veille. Deux fioles de suite, restées vierges d'analyse, dont une se retrouvait aujourd'hui parmi les vingt gagnantes : celle du jour des sushis. Laurent la contempla longuement, la tenant devant ses yeux devenus deux fentes d'un bleu électrifié. Puis il la mit de côté.

Concentré, rageur, fou et trop calme, il s'attela méthodiquement à effectuer des recoupements entre les dates des prélèvements

incriminants et l'agenda de Sofia. C'était elle
qui avait insisté pour relier leurs deux iPhone
sur le même calendrier iCal, afin de pouvoir y
ajouter des activités communes. Perfectionniste, elle avait noté assidûment tous ses rendez-vous, du café pris avec une copine au dîner d'affaires avec un collègue en passant par
le rendez-vous chez le massothérapeute. Ce
fut presque trop facile. Prélèvement du 13 juillet : haut taux de sébum masculin et traces
d'écran solaire. À l'horaire : tennis en plein
air. Un appel au centre sportif et il avait un
nom. Bingo. Si facile que Laurent ne put
s'empêcher de penser, le ventre pris dans un
étau, que Sofia avait en quelque sorte voulu
qu'il remonte ce labyrinthe, qu'il débusque
ces hommes. Ou peut-être avait-elle simplement laissé ces traces pour elle-même, comme
des trophées ; collectionneuse, chasseuse fière
de ses prises, éprouvant le besoin d'en garder
le décompte ?

Il y mit une quarantaine d'heures — à faire
des suppositions, à les vérifier dans le iCal, à
peine soulagé lorsqu'un nom suspecté ressor-
tait blanchi —, pour finir avec vingt identifiés,
une liste qui faisait mal, qui n'avait rien pour
le tiédir, qui jetait de l'essence sur un feu
déjà joyeux. Une liste où figurait, en sixième

position, le nom tiré de la fiole numéro dix, un nom qui lui donnait envie de tout casser.

Quand ? Après se l'être tant de fois demandé, il eut, enfin, la réponse.

6 (fiole nº 10) – Thibert De la Haye Duponsel.

32

Sofia reçut l'appel vers la fin de l'après-midi,
alors qu'elle s'apprêtait à sortir marcher. Le
dimanche était bien entamé, elle était sans
nouvelles de Laurent depuis le vendredi.
L'anxiété la gagnait. Elle tournait en rond
dans l'appartement. Il savait. Comment ? Elle
n'en avait pas la moindre idée, mais il savait.
Et puis elle avait vu Lisabeth en larmes, au
défilé, l'avait questionnée. Celle-ci avait ba-
ragouiné qu'elle pleurait de bonheur, car le
défilé était un succès au-delà de ses attentes
les plus folles, mais ses pleurs avaient redoublé
d'ardeur et son ton s'était fait hystérique. Sofia n'avait pas cru un mot de ses explications.
Quelque chose n'allait pas. Quelque chose en
lien avec elle, avec le défilé... Elle s'était dit
que marcher la calmerait. Il finirait bien par

rentrer, non ? Leur conversation fut brève et
singulière.

— Allô ?

— Sofia, peux-tu venir me rejoindre au
labo ?

— Laurent ? J'étais tellement inquiète !

— J'ai une surprise pour toi, Sofia. En fait,
j'ai plein de surprises pour toi.

Et il rit. D'un rire si inhabituel qu'elle
douta un instant que ce fut son amoureux au
bout du fil.

— Je t'attends. Prends mon double de carte
magnétique dans le vide-poche.

Il raccrocha. Interdite, Sofia se demanda si
c'était le manque de sommeil qui le rendait
aussi hagard. Trente minutes plus tard, elle
pénétrait dans l'Orphéon, énervée. Ses hauts
talons claquèrent sur quelques mètres, puis
elle eut un bref échange avec le gardien, tandis
qu'elle signait la feuille des visiteurs.

— Votre homme, ma p'tite dame ? L'avait
pas l'air de feeler quand je l'ai vu entrer, vendredi soir... Y'est pas resté là toute la fin de
semaine, toujours ben ?

— Je sais pas. C'est possible.

— Pis moi, j'peux pas vous dire : j'suis pas là
tout le temps, vous savez. Des fois c'est mon
frère Réjean, mais on est pareils, ça fait que le

monde voit pas toujours la différence. Même not' mère avait de la misère des fois !

Le vieux gardien se tut, semblant prendre conscience de l'état d'esprit de Sofia. Elle se projetait déjà le film d'une engueulade spectaculaire. Ce serait au mieux pathétique, au pire enflammé. Si, vraiment, Laurent savait, elle courait vers une deuxième rupture et celle-là, elle ne l'avait pas choisie. Une boule se forma dans sa gorge à cette idée. Il la quitterait, ici, aujourd'hui, manifestement. Avec raison.

Sofia se ressaisit. La situation avait tout de même quelque chose d'inquiétant. Laurent avait toujours été un être rationnel, prévisible. Ça ne lui ressemblait pas, cet isolement prolongé. Un comportement trop émotif pour lui, contre nature. En montant dans l'ascenseur, elle se mit à avoir peur ; de le trouver mort, pendu dans son labo, de l'avoir poussé jusqu'à cet extrême. Et, une fois formulée, cette pensée ne la quitta plus. Dans l'ascenseur poussif, Sofia se voyait décrocher son amour bleu, souffler entre ses lèvres craquelées. Elle appuya frénétiquement sur le bouton numéro trois. Tout ce chamboulement dans leur vie, elle en était la seule responsable. Si Laurent commettait l'irréparable, elle aurait cette mort sur la conscience. Le constat pesait lourdement sur ses frêles épaules. Elle avait choisi de le quitter, brisant le parcours linéaire que suivait leur histoire depuis le début. Elle avait filé, dévidé et coupé le fil : une vraie Parque. En prêtant l'oreille à ses désirs égoïstes, elle avait rompu l'homéostasie dans laquelle ils baignaient tous deux jusqu'alors, petits animaux domestiques amorphes. Elle avait fait éclater la porcelaine.

Sofia sortit enfin de l'ascenseur, utilisa le double de la carte magnétique de Laurent pour franchir la porte d'entrée d'Odosenss et se dirigea, d'un pas hésitant, vers le laboratoire n° 3.

Elle inspira pour se donner de l'aplomb, une respiration partant du ventre, comme elle l'avait appris au cours de yoga. Elle en ressentit un curieux vide.

Chez Odosenss, l'air ne sentait rien.

33

Laurent entendit la lourde porte d'entrée se refermer, puis le bruit sec des talons de Sofia, son pas hésitant sur le plancher de béton. Soudain, elle fut là, dans l'embrasure de son laboratoire, belle, si belle, l'air vaguement soulagé. Elle portait une robe de lainage léger, couleur taupe, qui tombait parfaitement sur son corps divin. Ses boucles brunes s'enroulaient sur elles-mêmes : on eût dit qu'un coiffeur venait d'y apposer la touche finale. Il détailla ses lèvres pleines, son nez grec, ses prunelles sombres, toutes ces parties d'elle qu'il avait chéries pendant plus d'une décennie ; qu'il ne pouvait plus aimer, car elles lui échappaient.

Il prenait, enfin, une décision par lui-même.

Debout, cérémonieux, dans son sarrau blanc, les yeux rougis et fous, mais toujours calme, trop calme, il se racla la gorge et commença à lire, d'une voix brisée, la feuille qu'il avait à la main. Rien que des dates et des noms, mais il lisait lentement et, à chaque syllabe qu'il prononçait, Sofia rétrécissait, se rétractait, chiffonnée comme une boule de papier par une poigne gigantesque. Elle se tenait le ventre à deux mains, comme poignardée de lexèmes, puis un faible gémissement s'échappa de ses lèvres. Incapable d'articuler un mot, recroquevillée, elle semblait vouloir fuir mais Laurent ne la quittait pas des yeux. Il poursuivit, égrena les noms, chapelet de trahisons avec Sofia comme crucifiée au bout des perles. Elle aurait aimé crier, mais n'émit qu'un chuintement étouffé, si bas qu'il eût fallu tendre l'oreille pour espérer saisir quelque chose. Laurent ne se sentait plus la générosité d'un effort d'ouïe. Il continua, implacable.

Sofia aurait voulu lui dire que ça brûlait en dedans, dans son ventre, dans sa tête, dans son cœur. L'ennui, l'absence de sens de son existence, l'impression de mourir avant l'heure. Lui dire l'envie, parfois, de disparaître, de prendre le premier avion ou d'en sauter. La pulsion, quand elle coupait des poivrons, de passer la lame sur ses poignets. Elle aurait aimé trouver les mots pour expliquer son besoin de ce désir-là, de ces yeux mâles sur elle, ces yeux qui l'avaient ranimée. Pour ne pas être vieille et flétrie tout de suite. Pas tout de suite. Comment exprimer à cet homme son désir d'être femme ? Une femme en vie. En chair. Une femme que l'on peut toucher non pas comme une porcelaine sacrée, mais comme un corps chaud, avec ses fluides et ses frissons, ses zones folles et ses envies de douleur. Ses os broyables, ses muscles contractés, ses spasmes involontaires. Elle aurait voulu verbaliser chaque doigt ayant tracé sa beauté, chaque langue ayant souligné sa désirabilité, chaque regard ayant glorifié son unicité. Mettre en mots le fond de son âme pour cet homme qu'elle aimait et dont elle s'était coupée à défaut de savoir s'ouvrir à lui. Ces noms sur la liste cachaient des hommes qui avaient su effacer le sentiment de n'être que la poupée de Laurent, sa petite chose gentille. Ils avaient fait d'elle une femme.

Tout cela, elle le sentit, le pensa, l'entendit voler dans sa tête, dans l'air entre eux mais elle n'en énonça pas une syllabe. Elle qui gagnait pourtant sa vie à plaider, à convaincre de l'inadmissible par de longues diatribes, elle aurait sans doute pu susciter sa pitié. Ce n'est pas ce qui se produisit. Il y eut un moment de flottement, puis Sofia cessa net de rétrécir.

Soudain contaminée par la rage ambiante, par la violence contagieuse de l'autre, elle se redressa, fière, et ne formula qu'une seule phrase, réductrice, vulgaire, emplie de mauvaise foi, crachée comme un venin suri trop longtemps gardé.

— Tu es nul au lit, Laurent. Un ado ferait mieux.

Et, habituée à étoffer ses affirmations, elle ajouta, les traits enlaidis par des sentiments qui étiraient sa peau de tractions inusuelles :

— Je faisais semblant, Laurent. Tu ne m'as jamais fait jouir. En douze ans. Jamais.

34

Thibert n'était pas matinal. Si l'avenir appartenait à ceux qui se levaient tôt, eh bien il le laissait avec plaisir aux autres. Lorsqu'on sonna à sa porte vers sept heures le lundi matin, il bavait donc encore dans son lit, flambant nu, les membres ankylosés et le cheveu contestataire. Il sauta dans un pantalon de jogging ample qui traînait par terre, s'empêtra dans l'une des jambes et s'étala de tout son long. La sonnette retentit une seconde fois.

— J'arrive, bordel, j'arrive !

L'employée de FedEx lui faisait dos, s'apprêtant à partir, lorsqu'il finit par ouvrir la porte de son appartement. Elle revint vers la maison avec un rictus compatissant.

— Désolée de vous réveiller mon p'tit monsieur, livraison urgente. Vous êtes bien Thibert De la Haye Duponsel ?

— Ouep.

La femme, une matrone rondouillarde à la carrure de nageuse est-allemande, baissa les yeux avec un sourire en coin et il serra les cuisses sur son reste d'érection matinale sur le déclin.

— Signez ici. Merci.

Thibert rentra chez lui, déposa le colis sur le comptoir. Expéditeur : Laurent Piffeteau, Laboratoires Odosenss. Jugeant qu'il était un peu tôt pour être déjà dérangé par le boulot, il entreprit de se faire un café. Il faisait partie de cette catégorie de gens qui ne peuvent penser de façon cohérente avant leur première dose de caféine.

Ce n'est que vingt minutes plus tard, après avoir feuilleté le journal et bu son premier allongé, que son regard se posa de nouveau sur le paquet. Il se fit couler un second café avant d'y revenir. La chose avait les proportions d'une grande boîte à chaussures, version carrée. S'emparant d'un couteau à steak, il commença à découper la pellicule plastique qui la recouvrait. C'était l'un des emballages d'Odosenss, le plus grand format ; un cube blanc embossé du logo de la compagnie. Il en souleva le couvercle et fit un prodigieux bond en arrière, renversant son allongé, envoyant valser la tasse, marchant sur son pantalon de coton ouaté trop long et s'étalant pour la deuxième fois depuis son réveil.

— Putain de bordel de merde de putain de...

Le cœur battant, il se releva et s'avança de nouveau pour confirmer ce qu'il croyait avoir vu, ce que son nez entérinait déjà : au fond de la boîte, reposant sur le lit de ses longues boucles brunes, gisait une tête humaine, une tête de femme. La tête de Sofia. Sur la face intérieure du couvercle, quelques mots, écrits à la main, au stylo rouge : *Son corps de salope, il est à toi.*

Au même moment, en dix-neuf autres endroits de la ville, des hommes — célibataires, en couple, mariés — recevaient un présent similaire. La femme qu'ils avaient possédée à tour de rôle, ils se la partageaient maintenant, en vingt pièces détachées. Olivier, le professeur de yoga, n'avait eu qu'un pied — pas de chance —, le pro de tennis avait récolté une fesse sanguinolente, difficilement reconnaissable. Thibert, lui, avait eu droit à un morceau de choix : cette si jolie part d'elle, cette tête qu'il avait tenue à deux mains, le jour des sushis, le temps d'une fellation dans l'escalier de secours. Un épisode assez récent auquel, pourtant, Thibert ne songeait même pas en recevant ce trophée. Il revoyait plutôt les autres fois, les dizaines d'autres fois qui avaient précédé la désertion de Sofia, ces rencontres presque quotidiennes, sudatoires et tumultueuses, qui avaient fait de son sillage personnel un ingrédient clé de la recette de Sofi-B.

La distribution des cadeaux était terminée. Noël en été. Pas même besoin d'être un campeur pour en jouir : avoir copulé avec la fée des Étoiles suffisait. Un Noël à la blancheur salie, dont le typique rouge avait l'odeur ferreuse du sang coagulé.

Au même moment, l'homme à l'origine de tous ces cadeaux, père Noël sans rondeurs et sans joie, tout blanc dans son sarrau, se défenestrait depuis les hauteurs de l'Orphéon, côté boulevard. Alors seulement, le rouge vint s'ajouter. Et préciser le personnage.

Le crématorium du quatrième aurait un nouveau client.

Remerciements

Merci à lg2. Sans vos valeurs, aussi nobles que rares, je ne pourrais être à la fois publicitaire et auteure. Merci à Johanne Pelland, spécialiste des anecdotes sans fin, pour ce soir où elle en a raconté une qui, en plus d'avoir une fin, a allumé la première étincelle de cette histoire. Merci à Michel Olivier Girard, Jean-Pierre Girard et Martin Bélanger d'avoir promené leurs nez aiguisés dans *Odorama* en cours de route. Merci à Stéphane Dompierre, Patrick Senécal, Véronique Marcotte et Roxanne Bouchard pour m'avoir invitée et accueillie dans ce projet formidable, à Mélanie Vincelette, mon éditrice, d'avoir accepté ce petit adultère avec VLB et encore à Jean-Pierre, mon Bel Homme, qui me regarde papillonner d'un projet à l'autre en souriant amoureusement.

Marquis imprimeur inc.

Québec, Canada
2012

Cet ouvrage composé en MrsEaves corps 13,5 a été achevé d'imprimer au Québec
le neuf octobre deux mille douze sur papier Enviro 100 % recyclé
pour le compte de VLB éditeur.